KW-225-865

A Soviet Verse Reader

in the same series

RUSSIAN: A BEGINNERS' COURSE
by Ronald Hingley and T. J. Binyon

SOVIET PROSE: A READER
by Ronald Hingley

A RUSSIAN SCIENTIFIC READER
by John Warne

A Soviet Verse Reader

Edited by

T. J. BINYON

Ruskin House

GEORGE ALLEN & UNWIN LTD

MUSEUM STREET LONDON

FIRST PUBLISHED IN 1964

Printed in Germany

CONTENTS

PREFACE

This collection is intended to give the English-speaking student of Russian a general picture of Soviet poetry from 1917 to the present day.

The selection is confined to complete works, and contains only poems which have been published in the Soviet Union. The production of émigré poets is thus excluded, as is that of poets such as Blok, Bryusov, Khlebnikov and Gumilyov, whose works belong more properly to the pre-revolutionary period. Some poets have been included, not for the intrinsic merit of their poems, but because they represent a typical aspect of Soviet poetry. These have however been kept to a minimum.

The writers are arranged in chronological order according to the year of their birth, and each poet's poems are arranged either chronologically, or in the order given to them by the author. Wherever possible the poems have been dated.

The Notes are intended primarily as an aid to the comprehension of the poems: they contain translations of some passages and explanations of references. The more difficult words not dealt with in the Notes are given in the Vocabulary.

In determining stress in Modern Russian, use has been made of *Русское литературное произношение и ударение* ed. R. I. Avanesov and S. I. Ozhegov, Moscow 1959.

I should like to thank Mr. A. Dressler for his kind assistance with many points of translation, and I am also grateful to Mr. R. R. Milner-Gulland for providing some information made use of in the Notes.

Leeds, January 1963 T. J. BINYON

INTRODUCTION

Soviet Poetry 1917-1962

The history of Russian literature, which effectively dates back only to the beginning of the 19th century, has always been a history of literary groups, the members of which have been bound together by a common — usually social or political — ideology. The history of Soviet literature, until the enforcement of an artificial unity in the early 1930's, shows the same traits. A corollary to this characteristic is that Russian literature has always been — or has always been interpreted as being — tendentious. What a writer wrote was never so important as the political or social standpoint which he adopted. This view of literature as a means, rather than an end, has also been inherited by Soviet writers, with the exception that for them only one standpoint has been permissible — that dictated by the State.

At the beginning of the 20th century however a new group emerged — the Symbolists. They had been largely influenced by the general modernist movement in Europe at this time, and to start with Symbolism seemed to be free from the tendency that had reduced so much Russian literature to empty posturing in service of an ideal. The Symbolists stood for the absolute autonomy of art, which was not to be used as the instrument of any ideology. But by 1910, when it had become the predominant literary group in Russia, Symbolism had already begun to break up. The main split was between two groups, one of which, faithful to the original ideas, looked upon Symbolism as a purely literary or artistic technique, while the other, and larger, group had made it into the vehicle for a religious and mystical philosophy of life. The growing influence of this conception led to the breaking-away, in 1912, of a small group of poets, who called themselves Acmeists. They objected to the religious content of Symbolism, and to its vague use of imagery to convey mystical conceptions. Their aim was a return to clear, precise and concrete language.

At this time too another group emerged, that of the Futurists. They attacked all existing—and past—literature indifferently. They wanted to depict the real life of the twentieth century and to invent a new poetic language as a vehicle for their ideas. In many ways they were influenced by the Italian futurism of Marinetti, but differed from the latter greatly in their political views. Whereas Marinetti later became a Fascist, many of the Futurists were politically very close to the Bolsheviks, and some of them even took part in their underground movement.

The war put an end for some time to these literary conflicts and when the Revolution arrived in 1917, these were the three main literary groupings which existed.

The Symbolists soon vanished from the literary scene. Despite the apocalyptic note that had sounded in so much of their work, the actual form taken by the Revolution was anathema to many of them, and they emigrated, either immediately, or during the first years of the 1920's. Those who did so included such writers as Dmitry Merezhkovsky, Zinaida Gippius, Vyacheslav Ivanov and Aleksey Remizov. However three of the best-known of the Symbolist writers did remain and accept the Revolution—Aleksandr Blok, Andrey Bely and Valery Bryusov. But Symbolism as a movement no longer had any force, and none of these writers can be said to belong to the period of Soviet poetry. Blok died in 1921, and although he wrote one of his greatest poems (Двенáдцать) after the Revolution, it is as a pre-revolutionary poet that he is to be judged. Although Bely lived—abroad and in the Soviet Union—until 1934, he wrote no poetry of value during this period. His attempt to resurrect the Symbolist aesthetic with his magazine Запúски мечтáтелей (1919-1922) proved a failure. However his prose works written at that time did have a stylistic influence on certain Soviet novelists of the 20's. Bryusov was the only one of the three who really consciously accepted the new regime. He joined the Communist party, and held several important posts in Soviet institutions. But his activity from 1917 to his death in 1924 was mainly as a critic and teacher. He did publish several slim collections of verse during this time, which are of interest in that they show a distinct Futurist influence—Bryusov was the only poet of his generation to assimilate the changes that had taken place. But these last poems are considerably inferior in quality to those he wrote during the first decade of the century.

The Acmeists had never been a closely-knit group with any particular ideology. Indeed, as an organised movement Acmeism lasted only until the beginning of the war. In 1917 however there were three well-known writers whom it is convenient to qualify as Acmeists—Gumilyov, Akhmatova and Mandelshtam. Of these Gumilyov was executed in 1921 for allegedly taking part in an anti-Soviet conspiracy. Akhmatova and Mandelshtam remained in the Soviet Union and continued to write, though under conditions of increasing difficulty, since neither of them 'accepted' the Revolution*.

Another pre-revolutionary poet who remained in Russia after the Revolution was Pasternak, who had never really been a member of any group, although he had been associated for a short time after 1912 with the Futurists. His position in the 20's was akin to that of Akhmatova and Mandelshtam, though his attitude to the Revolution was not so intransigent. Among his works published at this time were two long poems, *1905* (1925-6) and *Лейтенáнт Шмидт* (1926-7) in which he attempts to celebrate the revolutionary movement. However he too was forced into silence during the harsher atmosphere of the 30's.

For the Futurists in 1917 the position was different. The events which had put the Bolsheviks in power had made Futurism the official literature. They were now in a position to create a revolution in aesthetics to match that which had taken place in politics, to establish a Futurist dictatorship beside that of the

---

* More details on these poets will be found in the notes, pp. 126 & 132. Akhmatova is referred to below, pp. 12, 13.

proletariat. Their new leader was naturally Mayakovsky, the most politically active of the group (he had spent 11 months in prison for his political activities before the Revolution).

Before the Revolution the most influential of the Futurists, and their chief theoretician, had been Velemir Khlebnikov. Though he continued to write his brilliant, if obscure, poetry until his death in 1922, Khlebnikov was too far removed in spirit from the new Futurism to take any part in it.

Not only did the Futurists consider themselves the rightful poets of the Revolution, but the authorities themselves appeared to think so. Lunacharsky, the first Soviet Minister of Education, gave leading Futurists prominent posts in the People's Commissariat of Education, and the Futurist journal, *Искусство комму́ны*, was issued by the same institution. In return the Futurists threw themselves wholeheartedly into the task of proselytising the masses. Mayakovsky himself wrote hundreds of 'agitational poems', on the most diverse subjects, issued 'Orders of the Day' to 'the Army of Art' and designed posters and wrote captions in verse for Rosta*.

Although Futurism was the most powerful literary group in the years immediately after 1917, it was not the only one. The extremist position which Futurism had occupied in the literary spectrum before the Revolution was taken over by a new group, formed in 1919, who called themselves the Imaginists. Its principal members were the minor poets Vadim Shershenevich, Anatoly Mariengof and Aleksandr Kusikov. The most distinguished writer associated with the group was Yesenin. Although his connexion with it was rather loose, he did sign the Imaginist manifesto in 1919, in which they announced that they had taken over the legacy of Futurism.

The poetic theory behind Imaginism had in fact little new or original to offer: it advocated the use of daring and striking images in poetry, but this had been one of the characteristics of Futurism, and even of Symbolism. The Imaginists did perhaps go even further than the Futurists in their utter disregard of all

---

* РОСТА — Российское телеграфное аге́нтство.

previously accepted poetic conventions and in the crudity and coarseness of their language. Where they differed from them greatly however was in their basic attitude to life. The new Futurist poetry was full of a vigorous, if naive, optimism. The Imaginists on the other hand were completely pessimistic. Their ideas perhaps found as much expression in their life as in their work: their gatherings took place in cafés in Moscow, and were usually productive of drunken rows and scandals.

Another group to appear at this time, like the Futurists, also enjoyed governmental patronage. This was the Proletkult*, founded in September 1917. Its aim was to produce a true proletarian literature and to encourage the development of proletarian writers. Its chief theoretician was Bogdanov (pseudonym of Aleksandr Aleksandrovich Malinovsky 1873-1928), and it was also encouraged by Lunacharsky. However Bogdanov's insistence that proletarian literature, while serving the Party and State, should enjoy autonomy, was not accepted by the Party leaders, and in 1923 the movement was abolished. During its short existence however two groups, mainly consisting of poets, had seceded from it —the *Кузница* group in Moscow, and the *Космист* group in Petrograd. Though their revolutionary fervour was great and their ideology impeccable, no member of these groups produced any interesting or worthwhile poetry.

Meanwhile the political scene, and with it the literary one, was changing. Lenin's introduction of the New Economic Policy (NEP) in February 1921, which allowed the re-establishment of private enterprise, led to the setting up of many more publishing houses (from 1917 to 1921 the State Publishing House had maintained a virtual monopoly). Those groups which supported the regime found themselves attacked by other writers. In the early years of the Revolution, with their shortages of material, poetry, which did not demand as much paper as prose works, or which could be recited, had been the chief form of literature. Now prose came to the forefront again, to establish a position it still maintains. As a natural result, most of the groups of this period consisted

* abbr. for Пролетáрская культýра.

of prose writers. The most interesting and most influential of these was the group founded in 1921 of young writers who called themselves the Serapion Brothers. They had little in common besides a desire for greater variety and freedom from ideology in literature. The chief members of the group were the prose writers Zoshchenko, Fedin, Vsevolod Ivanov, Nikitin and Kaverin, the critics Shklovsky and Lunts, and the poet Tikhonov.

The period 1922-5 was one of a struggle between various groups for predominance in Soviet literature. On one side was a new grouping of proletarian writers round the two journals *Октябрь* and *На посту* — from the name of this latter they were known as the *Напостовцы*. They aimed at forming a literary hegemony of proletarian writers, and with this in view crushed out of existence the former *Кузница* group and took over the earlier formed VAPP*. Opposed to these was a loose association of so-called 'fellow travellers' (i.e. writers who were not Communists, but who sympathized with the Revolution), grouped round the journal *Красная Новь*.

The Futurists, who had completely lost their former predominant position, joined the struggle in 1923 with a new journal, LEF**. They attacked both the other groups and reiterated their claim to provide the 'new art' of which the Revolution stood in need. However the twin trends towards realism and prose were bound to weaken their position (Futurism had always been a movement of poets, and had produced little, if any prose literature). In 1923 they were forced to sign an alliance with the proletarian writers, while LEF ceased publication in 1925.

In 1924 yet another new group emerged — that of the Constructivists***. They shared the Futurists' admiration of modern technology, but did not go so far in rejecting all former art forms. They conceived a poem as a piece of engineering, all elements of which should work together to achieve a given aim. Their chief theoretician was Kornely Zelinsky, and the only poet who

---

* ВАПП — Всесою́зная ассоциа́ция пролета́рских писа́телей.
** ЛЕФ — Ле́вый фронт иску́сства.
*** Not to be confused with the architectural school of the same name.

achieved anything approaching their aims was Selvinsky. Others belonging to the group were the poetess Vera Inber and, for a short time, Bagritsky. However, like the Futurists, they too were fighting a losing battle and in 1924 came to an agreement with the proletarian group.

This internecine strife was interrupted by the Central Committee of the Party which in June 1925 passed a resolution dealing with literature. Although this affirmed the dependence of art and literature on the Party and State, in other respects it was reasonably moderate: it recognized the rights of the 'fellow-travellers', and rejected the claim of the proletarian writers for complete authority.

While this led to a period of comparative freedom in literature, the decline of Futurism did not cease. In 1927 Mayakovsky revived the LEF magazine as 'The New LEF'*, but this only lasted for a year. He then broke away from LEF to organize a group known as REF**, with the slogan 'to the left of LEF', but this had an even shorter life, and in 1930 he gave in and joined the association of proletarian writers, which had now become all-powerful.

During the period up to 1929 the dominance of prose literature increased. Besides the Constructivists, the only new poets to emerge came from the proletarian group—Aleksandr Bezymensky, Aleksandr Zharov and others. For the most part they served up pale imitations of Mayakovsky, written in the correct proletarian stance.

This freedom came to an end in 1929, with the emergence of RAPP*** as the dominant force in literature. This was the time of the first five-year plan, and literature, like any other industry, had a programme allotted to it. Writers were given specific tasks to fulfil, to describe the various aspects and achievements of the plan. This tightening-up of Party control over literature almost

---

* Но́вый ЛЕФ.
** РЕФ — Революцио́нный фронт иску́сства.
*** РАПП — Росси́йская ассоциа́ция пролета́рских писа́телей — the new name for the reorganised VAPP.

completely stifled creative writing of any kind. It is obvious too that under such conditions it was poetry which suffered the most.

RAPP's dictatorship was suddenly put an end to in April 1932 by a decision of the Central Committee of the Communist party. By this all literary groups were disbanded and their place taken by a single organisation: the Union of Soviet Writers. The leaders of RAPP were discredited and attacked, although it was only later that they were revealed to have been Trotskyites and Fascist agents.

The reason for this sudden change in policy was obviously the continuing decline in the quality of literature produced under the RAPP regime, and by its move the Central Committee hoped to obtain an improvement in quality while still maintaining absolute Party control over literature. The instrument for this control was to be the newly formed Writers' Union, to which all professional authors, in practice, had to belong. As the programme of the Union was put forward the new literary doctrine of Socialist Realism, although at first some difficulty was met with in trying to define this term. In as far as it is possible to formulate this doctrine simply, it might be described as the dual obligation of the writer, on the one hand to describe truthfully socialist reality, and on the other to describe progress made towards the socialist ideal. The reason for the difficulty in defining it is obvious: the two concepts are mutually exclusive. While at the time of its formulation the term might have represented an artistic credo to some writers, it soon came to signify nothing more than the author's obligation to follow the changing party line. This meant, in effect, that the real meaning of the term was constantly altering and that a work acclaimed as a triumph of Socialist Realism at one time could be dismissed as heretical at another*.

This reorganisation of the literary scene had several results. It did, for a time at least, lead to an improvement in the state

* It is interesting to note that in 1947, in an effort to overcome the contradictions inherent in the term 'Socialist Realism', Selvinsky proposed that it should be replaced by 'Soviet Symbolism'. The suggestion was not accepted.

of literature. Its negative results were more far-reaching. It completely put an end to all experimentation in literature, which henceforth was characterised by the pejorative term 'bourgeois formalism', and, most important of all, it created the machinery by which literature could be turned into a mere adjunct of the monolithic totalitarian state.

The first congress of the Union of Soviet Writers took place in 1934 and, despite some opposition, reaffirmed the new position and the doctrine of Socialist Realism.

Soviet literature had had unity forced upon it. The existence of separate factions ceased, and its history is now one of alternating periods of laxity and severity in applying the doctrines, with the latter attitude predominating.

The second half of the 30's was a time at which the Soviet Union moved towards an ever-increasing totalitarianism in all fields. The cult of Stalin began to develop rapidly. A 'new respectability' made itself apparent in society; the lax morals and discipline of the 20's were gradually eradicated.

All this was reflected in the literature of the time. Many unorthodox writers vanished completely from the scene, killed in the purges, or immured in labour camps. Other established authors either published nothing, or adapted themselves to the changed climate, producing work which was a sad contrast to their earlier writing.

The new generation of writers which appeared at this time was the weakest since 1917. Poets such as Tvardovsky, Stepan Petrovich Shchipachov (*1899), Aleksandr Andreyevich Prokofyev (*1900), Yevgeny Aronovich Dolmatovsky (*1915) wrote simple, conventional and anaemic works, going back to the 19th century for their forms. Others, like Vasily Lebedev-Kumach (1898-1948) and Mikhail Isakovsky (*1900) produced catchy imitations of folk-songs, many of which were set to music.

The outbreak of the war led to a flood of patriotic poetry, to which most of the writers mentioned above contributed. It was now that Simonov attained great popularity for his war poems. Two new woman poets, Margarita Aliger (*1915) and

Olga Berggolts (*1910) also became known for their poems on the siege of Leningrad.

The war however also brought with it a slight relaxation in the control of literature: collections of poems by Akhmatova and Pasternak were published during these years.

This relaxation of control during the war did not in fact go very far. It was more a tactical move than a change in the Party's attitude towards literature. Despite the comparative degree of freedom, several writers were attacked for ideological faults: Zoshchenko and Fedin among the prose writers, and Aseyev and Selvinsky among the poets. It was not therefore surprising when, immediately after the war, the controls were tightened up. The cold war had begun in the political sphere: it was now extended to literature.

The first move in the campaign was a resolution passed by the Central Committee of the Party in August 1946, entitled 'On the magazines *Zvezda* and *Leningrad*'. Both magazines were attacked for having published works by Akhmatova and Zoshchenko, and the Union of Soviet Writers, whose president was then Tikhonov, was accused of negligence for letting this occur.

A little later Andrey Aleksandrovich Zhdanov (1896-1948), who was to become the absolute cultural dictator for the next two years, made a report on the situation. He denounced Akhmatova and Zoshchenko in virulent terms, and demanded that an end be put to the influence of the West on Soviet literature. The Writers' Union hastened to follow this lead: the two writers concerned were expelled, Tikhonov was demoted and replaced by Fadeyev, and a resolution was passed supporting Zhdanov's views.

The following years — the Zhdanov era in Soviet literature — were characterised above all by violent anti-Westernism, combined with the growth of the cult of Stalin into an impossible absurdity. Former writers whose works infringed the new doctrines were expunged from works of reference. Those writers who refused to adopt the correct attitudes were persecuted and their work was not permitted to be published. Very little poetry was written during this period, and what little did appear was of lamentable quality.

After Stalin's death in 1953 a new era began. With the appearance of such works as Erenburg's *Оттепель* (1954) and Dudintsev's *Не хлебом единым* (1956) a gradual relaxation of control began. The progressive tendency received a set-back with the scandal round Pasternak's *Доктор Живаго* in 1958, but since then the slow movement towards a relative freedom in literature seems to have continued. As a result of this much more poetry, of a much higher quality, has appeared during the past few years.

Of the youngest generation of poets Yevtushenko, who was attacked in 1956 for his poem *Станция Зима* has proved a disappointment. The quality of his work has declined, and in *Наследники Сталина* he has become almost an official party spokesman. Andrey Voznesensky on the other hand, though accused of 'formalism' remains unrepentant. At the moment his poetry is the only sign that the experiments of the Futurists and others were not completely in vain. Other young poets whose work is of interest are Robert Rozhdestvensky, Yevgeny Vinokurov, David Samoylov, Novella Matveyeva and Bela Akhmadullina.

This relaxation has also been observed retroactively: among the poets who have been republished recently have been Khlebnikov, in 1959; in 1961 Pasternak, Akhmatova and, most surprisingly of all, Marina Tsvetayeva (1892-1941), who lived in emigration from 1922 to 1939; while in 1963 poems by Mandelshtam have appeared in the collection *День поэзии*.

As yet however it is much too early to say whether this relaxation is permanent, or only temporary. The literary atmosphere nowadays in the Soviet Union is perhaps freer than at any time since the 20's. But no basic change has taken place. Literature is still considered to be the instrument of the Party and State, and a return to the repression of earlier years is still possible.

ДЕМЬЯН БЕДНЫЙ

БЛАГОСЛОВЕНИЕ

Былы́х госпо́д прогна́вши вза́шей,
Мы зна́ем: есть страшне́е враг, —
Мы по пути́ к побе́де на́шей
Сверши́ли то́лько пе́рвый шаг.

5 Страшне́е ба́рской ша́йки ди́кой
Нас изнури́вшая нужда́.
Вперёд же, во́ины вели́кой
Еди́ной а́рмии труда́!

Отби́в руко́й вооружённой
10 Всю злу́ю, вра́жескую гнусь,
Спасём рабо́той напряжённой
Коммунисти́ческую Русь.

Рабо́тать все станки́ заста́вим,
Испра́вим всё и пу́стим в ход, —
15 И от смерте́льных мук изба́вим
Нуждо́й изма́янный наро́д.

Мы дереву́шкам ска́жем чёрным:
«Дово́льно жу́тких, тёмных зим!
Себя́ трудо́м, трудо́м упо́рным,
20 Мы к све́тлой жи́зни воскреси́м!»

Есть на Руси́ оди́н хозя́ин —
Наро́д свобо́дный, трудово́й.
С рабо́чим па́харь кро́вно спая́н
Одно́ю спа́йкой боево́й:

25 В одно́м строю́ — геро́й с геро́ем —
Шли в бой, опа́сности деля́.

Вперёд же, братья, бодрым строем!
Свой заводы мы откроем,
Свой запашем мы поля.

30 *Свой* богатства мы умножим
И возрастим *свой* плоды,
У общих фабрик горы сложим
Из торфа, угля и руды.

Жизнь забурлит живым потоком,
35 Не зная вражеских запруд. —
И мы, в спокойствии глубоком,
Окинув Русь хозяйским оком,
Благословим наш общий труд!

1920

2   ЛЕНИН — С НАМИ!

Высоких гениев творенья
Не для одной живут поры:
Из поколений в поколенья
Они несут свой дары.

5 Наследье гениев былого —
Источник вечного добра.
Живое ленинское слово
Звучит сегодня, как вчера.

Трудясь, мы знаем: *Ленин — с нами!*
10 И мы отважно под огнём
Несём в боях сквозь дым и пламя
Венчанное победой знамя
С портретом *Ленина* на нём!

1944

АННА АХМАТОВА

—

Мне го́лос был. Он звал уте́шно,   **3**
Он говори́л: «Иди́ сюда́,
Оста́вь свой край глухо́й и гре́шный,
Оставь Росси́ю навсегда́.

5 Я кровь от рук твои́х отмо́ю,
Из се́рдца вы́ну чёрный стыд,
Я но́вым и́менем покро́ю
Боль пораже́ний и оби́д».

Но равноду́шно и споко́йно
10 Рука́ми я замкну́ла слух,
Чтоб э́той ре́чью недосто́йной
Не оскверни́лся ско́рбный дух.

1917

Ко́е-как удало́сь разлучи́ться   **4**
И постылый огонь потуши́ть.
Враг мой ве́чный, пора́ научи́ться
Вам кого́-нибудь впра́вду люби́ть.

5 Я-то во́льная. Всё мне заба́ва, —
Но́чью Му́за слети́т утеша́ть,
А на у́тро прита́щится сла́ва
Погрему́шкой над у́хом треща́ть.

Обо мне и моли́ться не сто́ит,
10 И, уйди́, огляну́ться наза́д.
Чёрный ве́тер меня́ успоко́ит,
Весели́т золото́й листопа́д.

Как подарок, приму я разлуку
И забвение, как благодать.
15 Но, скажи мне, на крестную муку
Ты другую посмеешь послать?

1921

5

Тот город, мной любимый с детства,
В его декабрьской тишине
Моим промотанным наследством
Сегодня показался мне.

5 Всё, что само давалось в руки,
Что было так легко отдать:
Душевный жар, молений звуки
И первой песни благодать —

Всё унеслось прозрачным дымом,
10 Истлело в глубине зеркал...
И вот уж о невозвратимом
Скрипач безносый заиграл.

Но с любопытством иностранки,
Пленённой каждой новизной,
15 Глядела я, как мчатся санки,
И слушала язык родной.

И дикой свежестью и силой
Мне счастье веяло в лицо,
Как будто друг от века милый
20 Всходил со мною на крыльцо.

1929

Одни́ гляди́тся в ла́сковые взо́ры,   **6**
Други́е пьют до со́лнечных луче́й,
А я всю ночь веду́ перегово́ры
С неукроти́мой со́вестью свое́й.

5 Я говорю́: «Твоё несу́ я бре́мя,
Тяжёлое, ты зна́ешь ско́лько лет».
Но для неё не существу́ет вре́мя,
И для неё простра́нства в ми́ре нет.

И сно́ва чёрный ма́сляничный ве́чер,
10 Злове́щий парк, неспе́шный бег коня́.
И по́лный сча́стья и весе́лья ве́тер,
С небе́сных круч слете́вший на меня́.

А надо мной споко́йный и двуро́гий
Стои́т свиде́тель... О, туда́, туда́,
15 По дре́вней подкапри́зовой доро́ге,
Где ле́беди и мёртвая вода́.

                                    1936

Мне ни к чему́ оди́ческие ра́ти   **7**
И пре́лесть элеги́ческих зате́й.
По мне, в стиха́х всё быть должно́ некста́ти,
Не так, как у люде́й.

5 Когда́ б вы знали, из како́го со́ра
Расту́т стихи́, не ве́дая стыда́,
Как жёлтый одува́нчик у забо́ра,
Как ло́пухи и лебеда́.

Серди́тый о́крик, дёгтя за́пах све́жий,
10 Таи́нственная пле́сень на стене́...
И стих уже́ звучи́т, задо́рен, не́жен,
На ра́дость вам и мне.

                                    1940

ВОЗВРАЩЕНИЕ

Все ду́ши ми́лых на высо́ких звёздах.
Как хорошо́, что не́кого теря́ть
И мо́жно пла́кать. Царскосе́льский во́здух
Был со́здан, что́бы пе́сни повторя́ть.

5 У бе́рега серебря́ная и́ва
Каса́ется сентя́брьских я́рких вод.
Из про́шлого восста́вши, молчали́во
Ко мне навстре́чу тень моя́ идёт.

Здесь сто́лько лир пове́шено на ве́тки
10 Но и мое́й как бу́дто ме́сто есть.
А э́тот до́ждик, со́лнечный и ре́дкий,
Мне утеше́нье и блага́я весть.

1941

ТРИ ОСЕНИ

Мне ле́тние про́сто невня́тны улы́бки.
И та́йны в зиме́ не найду́,
Но я наблюда́ла почти́ без оши́бки
Три о́сени в ка́ждом году́.

5 И пе́рвая — пра́здничный беспоря́док
Вчера́шнему ле́ту назло́,
И ли́стья летя́т, сло́вно кло́чья тетра́док,
И за́пах дымка́ так ла́данно-сла́док,
Всё вла́жно, пестро́ и светло́.

10 И пе́рвыми в та́нец вступа́ют берёзы,
Наки́нув сквозно́й убо́р,
Стряхну́в второпя́х мимолётные слёзы
На сосе́дку через забо́р.

Но это бывает — чуть начата повесть...
15 Секунда, минута — и вот
Приходит вторая, бесстрастна, как совесть,
Мрачна, как воздушный налёт.

Все кажутся сразу бледнее и старше,
Разграблен летний уют,
20 И труб золотых отдалённые марши
В пахучем тумане плывут...

И в волнах холодных его фимиама
Закрыта высокая твердь,
Но ветер рванул, распахнулось — и прямо
25 Всем стало понятно: кончается драма,
И это не третья осень, а смерть.

1943

РАЗРЫВ

10

1

Не недели, не месяцы — годы
Расставались. И вот наконец
Холодок настоящей свободы
И седой над висками венец.

5 Больше нет ни измен, ни предательств,
И до света не слушаешь ты,
Как струится поток доказательств
Несравненной моей правоты.

2

.И, как всегда бывает в дни разрыва,
10 К нам постучался призрак первых дней,
И ворвалась серебряная ива
Седым великолепием ветвей.

7

Нам, исступлённым, горьким и надменным,
Не смеющим глаза поднять с земли,
15 Запела птица голосом блаженным
О том, как мы друг друга берегли.

1940-44

11   Был вещим этот сон или не вещим...
Марс воссиял среди небесных звёзд,
Он алым стал, искрящимся, зловещим,
А мне в ту ночь приснился твой приезд.

5 Он был во всём... И в баховской чаконе,
И в розах, что напрасно расцвели,
И в деревенском колокольном звоне
Над чернотой распаханной земли.

И в осени, что подошла вплотную
10 И вдруг, раздумав, спряталась опять.
О август мой, как мог ты весть такую
Мне в годовщину страшную отдать!

Чем отплачу за царственный подарок?
Куда идти и с кем торжествовать?
15 И вот пишу, как прежде без помарок,
Мои стихи в сожжённую тетрадь.

1946-56

12   ВОСПОМИНАНИЕ

Ты выдумал меня. Такой на свете нет,
Такой на свете быть не может.
Ни врач не исцелит, ни утолит поэт, —
Тень призрака тебя и день и ночь тревожит.

5 Мы встретились с тобой в невероятный год,
Когда уже иссякли мира силы,
Всё было в трауре, всё никло от невзгод,
И были свежи лишь могилы.

Без фонарей как смоль был чёрен невский вал,
10 Глухая ночь вокруг стеной стояла...
Так вот когда тебя мой голос вызывал,
Что делала — сама ещё не понимала.

И ты пришёл ко мне, как бы звездой ведом,
По осени трагической ступая,
15 В тот навсегда опустошённый дом,
Откуда унеслась стихов сожжённых стая.

1946-56

ГОРОДУ ПУШКИНА 13

> И царскосельские хранительные сени...
>
> Пушкин.

I

Что делать мне? Они тебя сожгли...
О встреча, что разлуки тяжелее!..
Здесь был фонтан, высокие аллеи,
Громада парка древнего вдали,
5 Заря была себя самой алее,
В апреле запах прели и земли,
И первый поцелуй...

2

Этой ивы листы в девятнадцатом веке увяли,
Чтобы в строчке стиха серебриться свежее стократ.
10 Одичалые розы пурпурным шиповником стали,
А лицейские гимны всё так же заздравно звучат.

Полстолетья прошло... Щедро взыскана дивной судьбою,
Я в беспамятстве дней забывала теченье годов, —
И туда не вернусь! Но возьму и за Лету с собою
15 Очертанья живые моих царскосельских садов.

1957

ТРИ СТИХОТВОРЕНИЯ

I

Пора забыть верблюжий этот гам
И белый дом на улице Жуковской.
Пора, пора к берёзам и грибам,
К широкой осени московской.
5 Там всё теперь сияет, всё в росе,
И небо забирается высоко,
И помнит Рогачёвское шоссе
Разбойный посвист молодого Блока...

2

И в памяти чёрной, пошарив, найдёшь
10 До самого локтя перчатки,
И ночь Петербурга. И в сумраке лож
Тот запах и душный и сладкий.
И ветер с залива. А там, между строк,
Минуя и ахи и охи,
15 Тебе улыбнётся презрительно Блок —
Трагический тенор эпохи.

3

Он прав — опять фонарь, аптека,
Нева, безмолвие, гранит...

Как памятник началу века,
20 Там этот человек стоит —
Когда он Пушкинскому Дому,
Прощаясь, помахал рукой,
И принял смертную истому
Как незаслуженный покой.

1944-60

МАРТОВСКАЯ ЭЛЕГИЯ 15

Прошлогодних сокровищ моих
Мне надолго, к несчастию, хватит.
Знаешь сам, половины из них
Злая память никак не истратит:
5 Набок сбившийся куполок
Грай вороний и вопль паровоза,
И как будто отбывшая срок
Ковылявшая в поле берёза,
И огромных библейских дубов
10 Полуночная тайная сходка,
И из чьих-то приплывшая снов
И почти затонувшая лодка...
Побелив эти пашни чуть-чуть,
Там предзимье уже побродило,
15 Дали все в непроглядную муть
Ненароком оно превратило.
И казалось, что после конца
Никогда ничего не бывает...
Кто же бродит опять у крыльца
20 И по имени нас окликает?
Кто приник к ледяному стеклу
И рукою, как веткою, машет?..
А в ответ в паутинном углу
Зайчик солнечный в зеркале пляшет.

1960

—

СЕГОДНЯ

Сегодня — не гиль позабытую, разную
о том, как кончался какой-то угодник,
нет! Новое чудо встречают и празднуют —
румяного века живое сегодня.

5 Грузчик, поднявший смерти куль,
взбежавший по неба дрожащему трапу,
стоит в ореоле порхающих пуль,
святым протянув заскорузлую лапу.

Его не снесёте в червонном кивоте,
10 пред ним не заставишь вас петь аллилуйя,
он встанет сегодня в смертельной зевоте,
на рану кровавыми сгустками плюя,

И, в новое небо пропеллором ввинчен,
собою засеет он синюю пустошь,
15 с тобою, с тобой, моё звонкое нынче,
в твой рай трудовой я войду, если пустишь.

1923

ЛЕТНЕЕ ПИСЬМО

Напиши хоть раз ко мне

такое же большое

и такое ж

жаркое письмо,

5 чтоб оно

топорщилось листвою

и неслось по воздуху само.

Чтоб шумели
                         шёлковые ве́тви,
10 сло́вно гу́бы,
                              спу́тавшись на «ты»,
     чтоб сия́ла ма́рка на конве́рте
     желтогла́зым
                              за́йцем золоты́м.
15 Чтоб коло́лись бу́квы,
                              то́чно и́глы,
     растопи́вшись
                         в со́лнечном огне́.
     Что́бы синь,
20   кото́рой мы дости́гли,
     взо́ры
          заволáкивала мне,
     чтоб пото́м
                    в нахму́ренные хво́и
25 то́чно
               ночь вошла́, темны́м-темна́...
     Что́бы
          всё нам чу́вствовалось вдво́е,
     как вдвоём гляде́лось из окна́.
30 Чтоб до ча́са утра́
                         до шести́ нам,
     го́лову
          отки́нув на руке́,
     па́хло земляни́кой и жасми́ном
35 в ка́ждой
                    перечёркнутой строке́.
     У жасми́на
               за́пах све́жей ко́жи,
     земляни́кой
40   мле́ет ле́са страсть.
     Чтоб и по́зже —
                         о́сенью пого́жей —
     нам не разойти́сь,
                         не запропа́сть.

45 То́лько зна́ю:

           так ты не напи́шешь...

Сто́ит мне на ме́сяц отойти́ —

по-друго́му

           ду́маешь и ды́шишь,

50 о друго́м

          ты ду́маешь пути́.

И други́е дни

         тебе́ по нра́ву.

По-друго́му

55   смо́тришься в зрачки́...

И письмо́

       про но́вую заба́ву

разорву́ я на́крест,

            на клочки́.

                       1934

18   ВЫСТРЕЛ С «АВРОРЫ»

Он ви́дится на́ми,

           как вспы́шка рассве́та,

он по́мнится на́ми

           на фо́не тех лет,

5 как

    к не́бу взвива́ющаяся раке́та,

с кото́рой

        и начался́

              по́лный рассве́т...

10 Тот вы́стрел,

          кото́рый тогда́ разда́лся,

провзве́стил

        сквозь вре́мени бег,

что но́вый строй

15   на земле́ рожда́лся

и но́вый

    в мир

        пришёл челове́к.

И в ми́ре
20   светле́й и ра́достней ста́ло,
и лю́ди воскли́кнули:
                               «Здо́рово!» —
когда́
        над Нево́ю
25   прогрохота́ла
шестидю́ймовка
                     авро́рова.
«Авро́рой»
            у дре́вних звала́сь заря́;
30 и вот
        кора́бль
                   с таки́м же назва́ньем
стал
        молодо́й зарёй Октября́
35 на у́тре
            на́шего существо́ванья.
И ка́ждый год,
                   когда́ о́сень срыва́ет
ли́стки
40   с дере́вьев
                       и с календаря́,
сия́я в па́мяти,
                   возника́ет —
«Авро́ра» —
45   на́шего у́тра заря́!

1948

БОРИС ПАСТЕРНАК

ВДОХНОВЕНИЕ

По забóрам бегýт амбразýры,
Образýются брéши в стенé,
Когдá ночь оглашáется фýрой
Повестéй, неизвéстных веснé.

5 Без клещéй приближéнье фургóна
Вырывáет из ниш костылí
Тóлько гýлом свершённых прогóнов,
Подымáющих пыль издалí.

Этот грóхот им слы́шен впервы́е.
10 Зáвтра, зáвтра поня́ть я вам дам,
Как рвалíсь из ворóт мостовы́е,
Вылетáя по жáрким следáм.

Как в росíстую хвóйную скóрбность
Скипидáрной, как ýтро, струй
15 Погружáли пострóйки свой кóрпус
И лицó окунáл конвойр.

О, тепéрь и от лип не в секрéте:
Гóрод пуст по заря́м оттогó,
Что послéдний из смéртных в карéте
20 Под стихóм и при нём часовóй.

В то же ýтро, ушáм не повéря,
Протерéть не успéвши очéй,
Скóлько бéдных, истéрзанных пéрьев
Рвётся к óкнам из рук рифмачéй!

1921

Разрывая кусты́ на себе, как силóк,
Маргари́тиных сти́снутых губ лиловéй,
Горя́чей, чем глазнóй Маргари́тин белóк,
Би́лся, щёлкал, цари́л и сия́л соловéй.

5 Он как зáпах от трав исходи́л. Он как ртуть
Очумéлых дождéй меж черёмух висéл.
Он корý одуря́л. Задыха́ясь, ко рту
Подступа́л. Остава́лся висéть на косé.

И когда́, изумлённой рукóй проводя́
10 По глаза́м, Маргари́та влекла́сь к серебрý,
То каза́лось: под ка́ской ветвéй и дождя́
Повали́лась без сил амазóнка в борý.

И заты́лок с рукóю в рукé у негó,
А другýю наза́д заломи́ла, где лёг,
15 Где застря́л, где пови́с еë шлем теневóй,
Разрыва́я кусты́ на себе, как силóк.

                              1921

КРЕМЛЬ
В БУРАН КОНЦА 1918 ГОДА   **21**

Как брóшенный с пути́ снега́м
Послéдней ста́нцией в разва́линах,
Как пóлем в пóлночь, в свист и гам,
Бредýщий через си́лу в ва́ляных,

5 Как пред концóм в упа́дке сил
С тоски́ взыва́ющий к метéлице,
Чтоб вихрь души́ не угаси́л,
К порé, как тьмою всё застéлется.

Как схва́ченный за обшлага́
10 Хохо́чущею вью́гой наро́чный,
Ловя́щий ки́сти башлыка́,
Здоро́вающеюся в нару́чнях.

А иногда́! — А иногда́,
Как при́гнанный кана́том на́короть
15 Кора́бль, с гуде́ньем, прочь к гряда́м
Срыва́ющийся чу́дом с я́коря,

После́дней но́чью, несравни́м
Ни с чем, како́й-то стра́нный, пе́нный весь,
Он, Кремль, в осна́стке сто́льких зим,
20 На ны́нешней срыва́ет не́нависть.

И грандио́зный, весь в было́м,
Как визьоне́ра дивина́ция,
Несётся, гро́зный, напроло́м,
Сквозь неистёкший в девятна́дцатый.

25 Под су́мерки к тебе́ в окно́
Он все́ю ме́дью зво́нниц ло́мится.
Бои́тся, ви́дно: год мелькнёт, —
Упу́стит и не познако́мится.

Оста́ток дней, оста́ток вьюг,
30 Сужде́нных ба́шням в восемна́дцатом,
Бушу́ет, пря́дает вокру́г,
Вида́ть — не наигра́лись на́сыто.

За мо́рем э́тих непого́д
Предви́жу, как меня́, разби́того,
35 Ненаступи́вший э́тот год
Возьмётся сы́знова воспи́тывать.

Так начина́ют. Го́да в два
От ма́мки рву́тся в тьму мело́дий,
Щебе́чут, свищут, — а слова́
Явля́ются о тре́тьем го́де.

5 Так начина́ют понима́ть.
И в шу́ме пу́щенной турби́ны
Мере́щится, что мать — не мать,
Что ты — не ты, что дом — чужби́на.

Что де́лать стра́шной красоте́,
10 Присе́вшей на скамью́ сире́ни,
Когда́ и впрямь не красть дете́й?
Так возника́ют подозре́нья.

Так зре́ют стра́хи. Как он даст
Звезде́ превы́сить досяга́нье,
15 Когда́ он — Фа́уст, когда́ — фанта́ст?
Так начина́ются цыга́не.

Так открыва́ются, паря́
Пове́рх плетне́й, где быть дома́м бы,
Внеза́пные, как вздох, моря́.
20 Так бу́дут начина́ться я́мбы.

Так но́чи ле́тние, ничко́м
Упа́в в овсы́ с мольбо́й: испо́лнься,
Грозя́т заре́ твои́м зрачко́м.
Так затева́ют ссо́ры с со́лнцем.

25 Так начина́ют жить стихо́м.

1921

ХУДОЖНИК

Мне по душе́ стропти́вый но́ров
Арти́ста в си́ле: он отвы́к
От фраз, и пря́чется от взо́ров,
И со́бственных стыди́тся книг.

5 Но всем известен э́тот о́блик.
Он миг для пря́ток прозева́л:
Наза́д не поверну́ть огло́бли,
Хотя́ б и зата́ясь в подва́л.

Судьбы́ под зе́млю не зая́мить.
10 Как быть? Нея́сная сперва́,
При жи́зни перехо́дит в па́мять
Его́ призна́вшая молва́.

Но кто ж он? На како́й аре́не
Стяжа́л он по́здний о́пыт свой?
15 С кем протекли́ его́ боре́нья?
С сами́м собо́й, с сами́м собо́й.

Как поселе́нье на Гольфштре́ме,
Он со́здан весь земны́м тепло́м.
В его́ зали́в вкати́ло вре́мя
20 Всё, что ушло́ за волноло́м.

Он жа́ждал во́ли и поко́я.
А го́ды шли приме́рно так,
Как облака́ над мастерско́ю,
Где го́рбился его́ верста́к.

1936

СОСНЫ

В траве́, меж ди́ких бальзами́нов,
Рома́шек и лесны́х купа́в,
Лежи́м мы, ру́ки запроки́нув
И к не́бу го́ловы задра́в.

5 Трава́ на про́секе сосно́вой
Непроходи́ма и густа́.
Мы перегля́немся и сно́ва
Меня́ем по́зы и места́.

И вот, бессмертные на время,
10 Мы к лику сосен причтены
И от болезней, эпидемий
И смерти освобождены.

С намеренным однообразьем,
Как мазь, густая синева
15 Ложится зайчиками наземь
И пачкает нам рукава.

Мы делим отдых краснолесья,
Под копошенье мураша
Сосновою снотворной смесью
20 Лимона с ладаном дыша.

И так неистовы на синем
Разбеги огненных стволов,
И мы так долго рук не вынем
Из-под заломленных голов.

25 И столько широты во взоре
И так покорно всё извне,
Что где-то за стволами море
Мерещится всё время мне.

Там волны выше этих веток
30 И, сваливаясь с валуна,
Обрушивают град креветок
Со взбаламученного дна.

А вечерами за буксиром
На пробках тянется заря
35 И отливает рыбьим жиром
И мглистой дымкой янтаря.

Смеркается, и постепенно
Луна хоронит все следы
Под белой магиею пены
40 И чёрной магией воды.

А во́лны всё шумне́й и вы́ше,
И пу́блика на поплавке́
Толпи́тся у столба́ с афи́шей,
Неразличи́мой вдалеке́.

НА РАННИХ ПОЕЗДАХ

Я под Москво́ю э́ту зи́му,
Но в сту́жу, снег и бурева́л
Всегда́, когда́ необходи́мо,
По де́лу в го́роде быва́л.

5 Я выходи́л в тако́е вре́мя,
Когда́ на у́лице ни зги,
И рассыпа́л лесно́ю те́мью
Свой скрипу́чие шаги́.

Навстре́чу мне на перее́зде
10 Встава́ли ве́тлы пустыря́.
Надми́рно вы́сились созве́здья
В холо́дной я́ме января́.

Обыкнове́нно у задво́рок
Меня́ стара́лся перегна́ть
15 Почто́вый или но́мер со́рок,
А я шёл на шесть два́дцать пять.

Вдруг све́та хи́трые морщи́ны
Сбира́лись щу́пальцами в круг.
Проже́ктор нёсся всей махи́ной
20 На оглушённый виаду́к.

В горя́чей духоте́ ваго́на
Я отдава́лся целико́м
Поры́ву сла́бости врождённой
И всо́санному с молоко́м.

25 Сквозь прошлого перипетии
И годы войн и нищеты
Я молча узнавал России
Неповторимые черты.

Превозмогая обожанье,
30 Я наблюдал, боготворя.
Здесь были бабы, слобожане,
Учащиеся, слесаря.

В них не было следов холопства,
Которые кладёт нужда,
35 И новости и неудобства
Они несли, как господа.

Рассевшись кучей, как в повозке,
Во всём разнообразье поз,
Читали дети и подростки,
40 Как заведённые, взасос.

Москва встречала нас во мраке,
Переходившем в серебро,
И, покидая свет двоякий,
Мы выходили из метро.

45 Потомство тискалось к перилам
И обдавало на ходу
Черёмуховым свежим мылом
И пряниками на меду.

ОПЯТЬ ВЕСНА

Поезд ушёл. Насыпь черна.
Где я дорогу впотьмах раздобуду?
Неузнаваемая сторона,
Хоть я и сутки только отсюда.

Замер на шпалах лязг чугуна.
Вдруг — что за новая, право, причуда?
Бестолочь, кумушек пересуды...
Что их попутал за сатана?

Где я обрывки этих речей
10 Слышал уж как-то порой прошлогодней?
Ах, это сызнова, верно, сегодня
Вышел из рощи ночью ручей.
Это, как в прежние времена,
Сдвинула льдины и вздулась запруда.
15 Это поистине новое чудо,
Это, как прежде, снова весна.

Это она, это она,
Это её чародейство и диво.
Это её телогрейка за ивой,
20 Плечи, косынка, стан и спина.
Это Снегурка у края обрыва.
Это о ней из оврага со дна
Льётся без умолку бред торопливый
Полубезумного болтуна.

25 Это пред ней, заливая преграды,
Тонет в чаду водяном быстрина,
Лампой висячего водопада
К круче с шипеньем пригвождена.
Это, зубами стуча от простуды,
30 Льётся чрез край ледяная струя
В пруд и из пруда в другую посуду, —
Речь половодья — бред бытия.

27

ПОБЕДИТЕЛЬ

Вы помните ещё ту сухость в горле,
Когда, бряцая голой силой зла,
Навстречу нам горланили и пёрли
И осень шагом испытаний шла?

Но правота была такой оградой,
Которой уступал любой доспех.
Всё воплотила участь Ленинграда.
Стеной стоял он на глазах у всех.

И вот пришло заветное мгновенье:
10 Он разорвал осадное кольцо.
И целый мир, столпившись в отдаленье,
В восторге смотрит на его лицо.

Как он велик! Какой бессмертный жребий!
Как входит в цепь легенд его звено!
15 Всё, что возможно на земле и небе,
Им вынесено и совершено.

БЕЗ НАЗВАНИЯ

Недотрога, тихоня в быту,
Ты сейчас вся огонь, вся горенье.
Дай запру я твою красоту
В тёмном тереме стихотворенья.

5 Посмотри, как преображена
Огневой кожурой абажура
Конура, край стены, край окна,
Наши тени и наши фигуры.

Ты с ногами сидишь на тахте,
10 Под себя их поджав по-турецки.
Всё равно: на свету, в темноте
Ты всегда рассуждаешь по-детски.

Замечтавшись, ты нижешь на шнур
Горсть на платье скатившихся бусин.
15 Слишком грустен твой вид, чересчур
Разговор твой прямой безыскусен.

Пошло слово «любо́вь», ты права́.
Я приду́маю кли́чку ину́ю.
Для тебя́ я весь мир, все слова́,
20 Если хо́чешь, переимену́ю.

Ра́зве хму́рый твой вид переда́ст
Чувств твои́х рудоно́сную за́лежь,
Сердца та́йно светя́щийся пласт?
Ну так что же глаза́ ты печа́лишь?

Е Д И Н С Т В Е Н Н Ы Е   Д Н И

На протяже́нье мно́гих зим
Я по́мню дни солнцеворо́та,
И ка́ждый был неповтори́м
И повторя́лся вновь без счёта.

5 И це́лая их череда́
Соста́вилась ма́ло-пома́лу,
Тех дней еди́нственных, когда́
Каза́лось нам, что вре́мя ста́ло.

Я по́мню их наперечёт:
10 Зима́ подхо́дит к середи́не,
Доро́ги мо́кнут, с крыш течёт
И со́лнце гре́ется на льди́не.

И лю́бящие, как во сне,
Друг к дру́гу тя́нутся поспе́шней,
15 И на дере́вьях в вышине́
Поте́ют от тепла́ скворе́шни.

И полусо́нным стре́лкам лень
Воро́чаться на цифербла́те,
И до́льше ве́ка дли́тся день,
20 И не конча́ется объя́тье.

БОЙ БЫКОВ

Зевак восторженные крики
Встречали грузного быка.
В его глазах, больших и диких,
Была глубокая тоска.
5 Дрожали дротики обиды.
Он долго поджидал врага,
Бежал на яркие хламиды
И в пустоту вонзал рога.
Не понимал — кто окровавил
10 Пустынь горячие пески,
Не знал игры высоких правил
И для чего растут быки.
Но ни налево, ни направо, —
Его дорога коротка.
15 Зеваки повторяли «браво»
И ждали нового быка.
Я не забуду поступь бычью,
Бег напрямик томит меня,
Свирепость, солнце и величье
20 Сухого, каменного дня.

1938

Как восковые, отекли камельи.
Расина декламируют дрозды.
А ночью невесёлое веселье
И ядовитый изумруд звезды.
5 В туманной суете угрюмых улиц
Ещё у стоек поят голытьбу,
А мудрые старухи уж разулись,
Чтоб легче спать в игрушечном гробу.

Вот рыболо́в с улы́бкою беззло́бной
10 Подво́дит жи́зни про́житой ито́г,
И ка́жется мне ли́лией надгро́бной
В лете́йских во́дах пра́здный поплаво́к.
Домо́в не тро́нут по́здние уко́ры,
Не дро́гнут до рассве́та фонари́.
15 Смотри́ — Пари́жа путевы́е сбо́ры.
Опереди́ его́, уйди́, умри́!

1939

32   Е В Р О П А

Лету́чая звезда́ и мо́ря ро́пот,
Вся в пе́не, ро́зовая, как заря́,
Горя́чая, как сгу́сток янтаря́,
Среди́ оли́в и ди́кого укро́па,
5 Вся в пе́пле, ро́за по́здняя раско́пок,
Моя́ любо́вь, моя́ Евро́па!
Я исходи́л петли́стые доро́ги
С той пы́лью, что старе́е серебра́,
Я зна́ю тёплые твои́ берло́ги,
10 Твои́ сире́невые вечера́
И гли́ну под ладо́нью гончара́.
Нады́шанная све́тлая оби́тель,
Больши́х веко́в души́стый сенова́л,
Горше́чник твой, как не́когда Пракси́тель,
15 Брал горсть земли́ и жизнь в неё вдува́л.
Был в Лу́вре небольшо́й, невзра́чный зал.
Безру́кая дове́рчиво, по-же́нски
Напомина́ла нам о красоте́.
И пла́кал перед не́ю Глеб Успе́нский,
20 А Ге́йне знал, что все слова́ не те.
В Пари́же, средь маши́н, по-дереве́нски
Шли ко́зы. И свире́ль впива́лась в день.
Был во́здух зацело́ванной святы́ней,
И мастери́цы простоду́шной тень
25 По скве́ру проходи́ла, как боги́ня.

Твой черты́ я узна́ю в пусты́не,
Горя́чий ка́мень ди́вного гнезда́,
Средь се́ры, средь огня́, в ночи́ пото́па,
Лету́чая зелёная звезда́,
Моя́ звезда́, моя́ Евро́па!

1943

Сочи́тся зной сквозь кро́хотные ста́вни.   **33**
В белёной ко́мнате темно́ и ду́шно.
В ослу́шников кида́ли пре́жде ка́мни,
Тепе́рь и ка́мни ста́ли равноду́шны.
5 Тепе́рь и ка́мни ничего́ не по́мнят,
Как их лома́ли, би́ли и теса́ли,
Как на забро́шенной каменоло́мне
Прокля́тый по́лдень жа́ден и печа́лен.
Страшне́е сме́рти э́то равноду́шье.
10 Умрёт оди́н — иду́т, наза́д не взгля́нут.
Их одино́чество глуши́т и ду́шит,
И ка́ждый той же суето́й обма́нут.
Быть мо́жет, ты, ожесточа́сь, отча́ясь,
Вдруг остано́вишься, чтоб осмотре́ться,
15 И на мину́ту я́года лесна́я
Тебя́ обра́дует. Так вста́нет де́тство:
Обло́мки ми́ра, облако́в обры́вки,
Куку́шка с глу́пыми её года́ми,
И мо́крый мох, и земляни́ки при́вкус,
20 Знако́мый, но неча́янный, как па́мять.

ОСИП МАНДЕЛЬШТАМ

—

34

На стра́шной высоте́ блужда́ющий ого́нь,
Но ра́зве так звезда́ мерца́ет?
Прозра́чная звезда́, блужда́ющий ого́нь,
Твой брат, Петро́поль, умира́ет.

5 На стра́шной высоте́ земны́е сны горя́т,
Зелёная звезда́ мерца́ет.
О е́сли ты звезда́ — воды́ и не́ба брат,
Твой брат, Петро́поль, умира́ет.

Чудо́вищный кора́бль на стра́шной высоте́
10 Несётся, кры́лья расправля́ет —
Зелёная звезда́, в прекра́сной нищете́
Твой брат, Петро́поль, умира́ет.

Прозра́чная весна́ над чёрною Нево́й
Слома́лась, воск бессме́ртья та́ет.
15 О е́сли ты звезда́ — Петро́поль, го́род твой,
Твой брат, Петро́поль, умира́ет.

1918

35

О э́тот во́здух, сму́той пья́ный
На чёрной пло́щади Кремля́!
Кача́ют ша́ткий «мир» смутья́ны,
Трево́жно па́хнут тополя́.

5 Собо́ров восковы́е ли́ки,
Колоколо́в дрему́чий лес,
Как бы разбо́йник безъязы́кий
В стропи́лах ка́менных исче́з.

А в запеча́танных собо́рах,
10 Где и прохла́дно и темно́,

Как в нежных глиняных амфорах,
Играет русское вино.

Успенский, дивно округлённый,
Весь удивленье райских дуг,
15 И Благовещенский, зелёный,
И, мнится, заворкует вдруг.

Архангельский и Воскресенья
Просвечивают как ладонь —
Повсюду скрытое горенье,
20 В кувшинах спрятанный огонь...

1920

Я слово позабыл, что я хотел сказать.   **36**
Слепая ласточка в чертог теней вернётся,
На крыльях срезанных, с прозрачными играть.
В беспамятстве ночная песнь поётся.

5 Не слышно птиц. Бессмертник не цветёт.
Прозрачны гривы табуна ночного.
В сухой реке пустой челнок плывёт.
Среди кузнечиков беспамятствует слово.

И медленно растёт, как бы шатёр иль храм,
10 То вдруг прокинется безумной Антигоной,
То мёртвой ласточкой бросается к ногам
С стигийской нежностью и веткою зелёной.

О если бы вернуть и зрячих пальцев стыд,
И выпуклую радость узнаванья.
15 Я так боюсь рыданья Аонид,
Тумана, звона и зиянья.

А смертным власть дана любить и узнавать,
Для них и звук в персты прольётся,

31

Но я забы́л, что я хочу́ сказа́ть,
20 И мысль бесппо́тная в черто́г тене́й вернётся.

Всё не о том прозра́чная тверди́т,
Всё ла́сточка, подру́жка, Антиго́на...
А на губа́х как чёрный лёд гори́т
Стиги́йского воспомина́нье зво́на.

1920

37 За то, что я ру́ки твои́ не суме́л удержа́ть,
За то, что я пре́дал солёные не́жные гу́бы,
Я до́лжен рассве́та в дрему́чем акро́поле ждать.
Как я ненави́жу плаку́чие дре́вние сру́бы.

5 Ахе́йские мужи́ во тьме снаряжа́ют коня́,
Зубча́тыми пи́лами в сте́ны вгрыза́ются кре́пко,
Ника́к не уля́жется кро́ви суха́я возня́,
И нет для тебя́ ни назва́нья, ни зву́ка, ни сле́пка.

Как мог я поду́мать, что ты возврати́шься, как смел?
10 Заче́м преждевре́менно я от тебя́ оторва́лся.
Ещё не рассе́ялся мрак и пету́х не пропе́л,
Ещё в древеси́ну горя́чий топо́р не вреза́лся.

Прозра́чной слезо́й на стена́х проступи́ла смола́,
И чу́вствует го́род свои́ деревя́нные рёбра,
15 Но хлы́нула к ле́стницам кровь и на при́ступ пошла́,
И три́жды присни́лся мужа́м соблазни́тельный о́браз.

Где ми́лая Тро́я? где ца́рский, где де́вичий дом?
Он бу́дет разру́шен, высо́кий Приа́мов скворе́шник.
И па́дают стре́лы сухи́м деревя́нным дождём,
20 И стре́лы други́е расту́т на земле́, как оре́шник.

После́дней звезды́ безболе́зненно га́снет уко́л,
И се́рою ла́сточкой у́тро в окно́ постучи́тся,
И ме́дленный день, как в соло́ме просну́вшийся вол
На сто́гнах шерша́вых от до́лгого сна шевели́тся.

1920

Я наравне́ с други́ми
Хочу́ тебе́ служи́ть,
От ре́вности сухи́ми
Губа́ми ворожи́ть.
5 Не утоля́ет сло́во
Мне пересо́хших уст,
И без тебя́ мне сно́ва
Дрему́чий во́здух пуст.

Я бо́льше не ревну́ю,
10 Но я тебя́ хочу́,
И сам себя́ несу́ я,
Как же́ртву палачу́.
Тебя не назову́ я
Ни ра́дость, ни любо́вь;
15 На ди́кую, чужу́ю
Мне подмени́ли кровь.

Ещё одно́ мгнове́нье,
И я скажу́ тебе́:
Не ра́дость, а муче́нье
20 Я нахожу́ в тебе́.
И, сло́вно преступле́нье,
Меня́ к тебе́ влечёт
Искуса́нный, в смяте́ньи,
Вишнёвый не́жный рот.

25 Верни́сь ко мне скоре́е:
Мне стра́шно без тебя́,
Я никогда́ сильне́е
Не чу́вствовал тебя́,
И всё, чего́ хочу́ я,
30 Я ви́жу наяву́.
Я бо́льше не ревну́ю,
Но я тебя́ зову́.

1920

КОНЦЕРТ НА ВОКЗАЛЕ

Нельзя́ дыша́ть, и твердь киши́т червя́ми,
И ни одна́ звезда́ не говори́т,
Но, ви́дит Бог, есть му́зыка над на́ми,
Дрожи́т вокза́л от пе́нья Аони́д
5 И сно́ва, парово́зными свистка́ми
Разо́рванный, скрипи́чный во́здух слит.

Огро́мный парк. Вокза́ла шар стекля́нный.
Желе́зный мир опя́ть заворожён.
На зву́чный пир в эли́зиум тума́нный
10 Торже́ственно уно́сится ваго́н.
Павли́ний крик и ро́кот фортепья́нный —
Я опозда́л. Мне стра́шно. Это сон.

И я вхожу́ в стекля́нный лес вокза́ла,
Скрипи́чный строй в смяте́ньи и в слеза́х.
15 Ночно́го хо́ра ди́кое нача́ло,
И за́пах роз в гнию́щих парника́х,
Где под стекля́нным не́бом ночева́ла
Родна́я тень в кочу́ющих толпа́х.

И мни́тся мне: весь в му́зыке и пе́не
20 Желе́зный мир так ни́щенски дрожи́т,
В стекля́нные я упира́юсь се́ни;
Куда́ же ты? На три́зне ми́лой те́ни
В после́дний раз нам му́зыка звучи́т.

1921

Умыва́лся но́чью на дворе́ —
Твердь сия́ла гру́быми звезда́ми.
Звёздный луч, как соль на топоре́,
Сты́нет бо́чка с по́лными края́ми.

5 На замо́к закры́ты ворота́
И земля́ по со́вести суро́ва, —

Чище правды свежего холста
Вряд ли где отыщется основа.

Тает в бочке, словно соль, звезда,
10 И вода студёная чернее,
Чище смерть, солёнее беда
И земля правдивей и страшнее.

1921

ПАРИЖ 41

Язык булыжника мне голубя понятней,
Здесь камни — голуби, дома как голубятни,
И светлым ручейком течёт рассказ подков
По звучным мостовым прабабки городов.
5 Здесь толпы детские, событий попрошайки,
Парижских воробьёв испуганные стайки
Клевали наскоро крупу свинцовых крох,
Фригийской бабушкой рассыпанный горох,
И в воздухе плывёт забытая коринка,
10 И в памяти живёт плетёная корзинка,
И тесные дома — зубов молочных ряд —
На дёснах старческих как близнецы стоят.

Здесь клички месяцам давали как котятам,
И молоко и кровь давали нежным львятам,
15 А подрастут они — то разве года два
Держалась на плечах большая голова.
Большеголовые — там руки поднимали
И клятвой на песке как яблоком играли.
Мне трудно говорить: не видел ничего,
20 Но всё-таки скажу: я помню одного,
Он лапу поднимал, как огненную розу,
И как ребёнок всем показывал занозу,
Его не слушали; смеялись кучера
И грызла яблоки, с шарманкой, детвора,

25 Афи́ши кле́или, и ста́вили капка́ны,
И пе́ли пе́сенки, и жа́рили кашта́ны,
И све́тлой у́лицей, как про́секой прямо́й,
Лете́ли ло́шади из зе́лени густо́й.

1923

1 ЯНВАРЯ 1924

Кто вре́мя целова́л в изму́ченное те́мя —
С сыно́вьей не́жностью пото́м
Он бу́дет вспомина́ть, как спать ложи́лось вре́мя
В сугро́б пшени́чный за окно́м.
5 Кто ве́ку поднима́л боле́зненные ве́ки —
Два со́нных я́блока больши́х —
Он слы́шит ве́чно шум, когда́ взреве́ли ре́ки
Времён обма́нных и глухи́х.

Два со́нных я́блока у ве́ка-властели́на
10 И гли́няный прекра́сный рот,
Но к мле́ющей руке́ старе́ющего сына
Он, умира́я, припадёт.
Я зна́ю, с ка́ждым днём слабе́ет жизни вы́дох,
Ещё немно́го, — оборву́т
15 Просту́ю пе́сенку о гли́няных оби́дах
И гу́бы о́ловом зальют.

О гли́няная жизнь! О умира́нье ве́ка!
Бою́сь, лишь тот поймёт тебя́,
В ком беспомо́щная улы́бка челове́ка,
20 Кото́рый потеря́л себя́.
Кака́я боль — иска́ть поте́рянное сло́во,
Больны́е ве́ки поднима́ть
И с и́звестью в крови́, для пле́мени чужо́го
Ночны́е тра́вы собира́ть.

25 Век. Известко́вый слой в крови́ больно́го сы́на
Твердеет. Спит Москва́, как деревя́нный ларь,
И не́куда бежа́ть от ве́ка-властели́на…
Снег па́хнет я́блоком, как встарь.
Мне хо́чется бежа́ть от моего́ поро́га.
30 Куда́? На у́лице темно́,
И, сло́вно сы́плют соль мощёною доро́гой,
Беле́ет со́весть предо мной.

По переу́лочкам, скворе́шням и застре́хам,
Недалеко́ собра́вшись как-нибу́дь,
35 Я, рядово́й седо́к, укры́вшись ры́бьим ме́хом,
Всё си́люсь по́лость застегну́ть.
Мелька́ет у́лица, друга́я,
И я́блоком хрусти́т сане́й моро́зных звук,
Не поддаётся пе́телька туга́я,
40 Всё вре́мя ва́лится из рук.

Каки́м желе́зным, скобяны́м това́ром
Ночь зи́мняя греми́т по у́лицам Москвы́,
То мёрзлой ры́бою стучи́т, то хле́щет па́ром
Из ча́йных ро́зовых — как серебро́м плотвы́.
45 Москва́ — опя́ть Москва́. Я говорю́ ей: «здра́вствуй!
Не обессу́дь, тепе́рь уж не беда́,
По старине́ я принима́ю бра́тство
Моро́за кре́пкого и щу́чьего суда́».

Пыла́ет на снегу́ апте́чная мали́на
50 И где-то щёлкнул ундерву́д;
Спина́ изво́зчика и снег на пол-арши́на:
Чего́ тебе́ ещё? Не тро́нут, не убью́т.
Зима́-краса́вица и в звёздах не́бо ко́зье
Рассы́палось и молоко́м гори́т,
55 И ко́нским во́лосом о мёрзлые поло́зья
Вся по́лость трётся и звени́т.

А переу́лочки копти́ли кероси́нкой,
Глота́ли снег, мали́ну, лёд,
Всё шелуши́тся им сове́тской сонати́нкой,
60 Двадца́тый вспомина́я год.
Ужéли я предáм позóрному злослóвью —
Вновь па́хнет я́блоком моро́з —
Прися́гу чу́дную четвёртому сосло́вью
И кля́твы кру́пные до слёз?

65 Когó ещё убьёшь? Когó ещё просла́вишь?
Каку́ю вы́думаешь ложь?
То ундерву́да хрящ: скорéе вы́рви кла́виш —
И щу́чью кóсточку найдёшь;
И известкóвый слой в крови́ больнóго сы́на
70 Раста́ет, и блажéнный бры́знет смех...
Но пи́шущих маши́н проста́я сонати́на —
Лишь тень сона́т могу́чих тех.

1924

43 Вы, с квадра́тными окóшками невысóкие дома́ —
Здра́вствуй, здра́вствуй, петербу́ргская несурóвая зима́.

И торча́т, как щу́ки рёбрами, незамёрзшие катки́,
И ещё в прихóжих слéпеньких валя́ются конькú.

5 А давнó ли по кана́лу плыл с кра́сным óбжигом гонча́р,
Продава́л с грани́тной лéсенки добросóвестный това́р.

Хóдят бóты, хóдят сéрые у гости́ного двора́,
И сама́ собóй сдира́ется с мандари́нов кожура́.

И в мешóчке кóфий жа́реный, пря́мо с хóлоду домóй,
10 Электри́ческою мéльницей смóлот мóкко золотóй.

Шокола́дные, кирпи́чные, невысóкие дома́.
Здра́вствуй, здра́вствуй, петербу́ргская несурóвая зима́.

38

И приёмные с роялями, где, по креслам рассадив,
Доктора кого-то потчуют ворохами старых «Нив».

15 После бани, после оперы, всё равно, куда ни шло
Бестолковое последнее трамвайное тепло.

1925

Довольно кукситься, бумаги в стол засунем, **44**
Я нынче славным бесом обуян,
Как будто в корень голову шампунем
Мне вымыл парикмахер Франсуа.

5 Держу пари, что я ещё не умер,
И, как жокей, ручаюсь головой,
Что я ещё могу набедокурить
На рысистой дорожке беговой.

Держу в уме, что нынче тридцать первый
10 Прекрасный год в черёмухах цветёт,
Что возмужали дождевые черви,
И вся Москва на яликах плывёт.

Не волноваться: нетерпенье — роскошь.
Я постепенно скорость разовью,
15 Холодным шагом выйдем на дорожку,
Я сохранил дистанцию мою.

1931

—

45 ## ХОРОШЕЕ ОТНОШЕНИЕ К ЛОШАДЯМ

Били копыта.
Пели будто:
— Гриб.
Грабь.
5 Гроб.
Груб. —

Ветром опита,
льдом обута
улица скользила.
10 Лошадь на круп
грохнулась,
и сразу
за зевакой зевака,
штаны пришедшие Кузнецким клёшить,
15 сгрудились,
смех зазвенел и зазвякал:
— Лошадь упала!—
— Упала лошадь!—
Смеялся Кузнецкий.
20 Лишь один я
голос свой не вмешивал в вой ему.
Подошёл
и вижу
глаза лошадиные…

25 Улица опрокинулась,
течёт по-своему…

Подошёл и вижу —
за каплищей каплища
по морде катится,
30 прячется в шерсти…

И какáя-то óбщая
зверúная тоскá
плещá вы́лилась из меня́
и расплы́лась в шéлесте.
35 «Лóшадь, не нáдо.
Лóшадь, слýшайте —
чегó вы дýмаете, что вы их плóше?
Дéточка,
все мы немнóжко лóшади,
40 кáждый из нас по-своéму лóшадь.»
Мóжет быть
— стáрая —
и не нуждáлась в ня́ньке,
мóжет быть, и мысль ей моя́ казáлась пошлá,
45 тóлько
лóшадь
рванýлась,
встáла нá ноги,
ржанýла
50 и пошлá.
Хвостóм помáхивала.
Ры́жий ребёнок.
Пришлá весёлая,
стáла в стóйло.
55 И всё ей казáлось —
она жеребёнок,
и стóило жить,
и рабóтать стóило.

1918

ОДА РЕВОЛЮЦИИ   **46**

Тебé,
освúстанная,
осмéянная батарéями,
тебé,

5 изъязвлённая злословием штыков,
восторженно возношу
над руганью реемой
оды торжественное
«О»!
10 О, звериная!
О, детская!
О, копеечная!
О, великая!
Каким названьем тебя ещё звали?
15 Как обернёшься ещё, двуликая?
Стройной постройкой,
грудой развалин?
Машинисту,
пылью угля овеянному,
20 шахтёру, пробивающему толщи руд,
кадишь,
кадишь благоговейно,
славишь человечий труд.
А завтра
25 Блаженный
стропила соборовы
тщетно возносит, пощаду моля, —
твоих шестидюймовок тупорылые боровы
взрывают тысячелетия Кремля.
30 «Слава»
хрипит в предсмертном рейсе.
Визг сирен придушенно тонок.
Ты шлёшь моряков
на тонущий крейсер,
35 туда,
где забытый
мяукал котёнок.
А после!
Пьяной толпой орала.
40 Ус залихватский закручен в форсе.
Прикладами гонишь седых адмиралов

вниз головой
с моста́ в Гельсингфо́рсе.
Вчера́шние ра́ны ли́жет и ли́жет,
45 и сно́ва ви́жу вскры́тые ве́ны я.
Тебе́ обыва́тельское
— о, будь ты про́клята три́жды! —
и моё
поэ́тово
50 — о, четы́режды сла́вься, благослове́нная! —

1918

С ТОВАРИЩЕСКИМ ПРИВЕТОМ, МАЯКОВСКИЙ 47

Дра́лось
не́когда
гре́ков три́ста
сра́зу с во́йском перси́дским всем.
5 Так и мы.
Но нас,
футури́стов,
нас всего́ — быть мо́жет — семь.
Тех
10 нашли́ у исто́рии в пы́лях.
Подсчита́ли
всех, кто сражён.
И пою́т
про смерть в Фермопи́лах.
15 Восхваля́ют, что лез на рожо́н.
Если петь
про зале́зших в ще́ли,
меч подъя́вших
и па́вших от, —
20 как не петь
нас,
у мы́слей в ущельи
не сдава́ясь деру́щихся год?

43

Сла́ва вам!
25 Для посме́ртной ле́сти
да не сло́вит вас сме́рти лов.
Неуязви́мые, ле́зьте
по скользя́щим ска́лам слов.
Пусть
30 хотя́ б по ка́пле,
по́ две
ва́ши ду́ши в мир волью́тся
и растя́т
рабо́чий подви́г,
35 имену́емый
«*Револю́ция*».
Поздрави́тели
не хло́пают две́рью?
Им
40 от стра́ха
не́бо в овчи́ну?
И не на́до.
Со́тую —
ве́рю! —
45 встре́тим годовщи́ну.

1919

48 РАССКАЗ ЛИТЕЙЩИКА ИВАНА КОЗЫРЁВА
О ВСЕЛЕНИИ В НОВУЮ КВАРТИРУ

Я пролета́рий.
                    Объясня́ться ли́шне.
Жил,
        как мать произвела́, роди́в.
5 И вот мне
                квартиру
                            даёт жили́щный,
мой
        рабо́чий
10   кооперати́в.

44

Во — ширина!

                Высота́ — во!

Прове́трена,

          освещена́

15   и согре́та.

Всё хорошо́.

          Но бо́льше всего́

мне

      понра́вилось —

20   э́то:

э́то

      беле́е лу́нного све́та,

удо́бней,

         чем земля́ обето́ванная,

25 э́то —

        да что говори́ть об э́том,

э́то —

      ва́нная.

Вода́ в кра́не —

30   холо́дная кра́йне.

Кран

      друго́й

        не тро́нешь руко́й.

Мо́жешь

35   холо́дной

          мыть хохо́л,

горя́чей —

       пот пор.

На кра́не

40   одно́м

         напи́сано:

            «Хол.»,

на кра́не друго́м —

          «Гор.».

45 Придёшь уста́лый,

        ве́шаться хо́чется.

Ни щи не ра́дуют,
                           ни ча́я клокота́нье.
А ча́йкой попле́щешься —
50   и мёртвый расхохо́чется
от э́того
                   пле́щущего щекота́ния.
Как бу́дто
                   пришёл
55   к социали́зму в го́сти,
от удово́льствия —
                           захва́тывает дых.
Брю́ки на крюк,
                   блу́зу на гво́здик,
60 мы́ло в ру́ку
                   и...
                           булты́х!
Ся́дешь
           и мо́ешься
65   до́лго, до́лго.
Сло́вом,
           сиди́шь,
                   пока́ охо́та.
Про́сто
70   в ко́мнате
                   ле́то и Во́лга, —
то́лько что не́ту
                   рыб и парохо́дов.
Хоть грязь
75   на тебе́
                   десятиле́тнего ста́жа,
с тебя́,
           коро́ю с де́рева,
чуть не лы́ком
80   схо́дит са́жа,
                           смыва́ется, сте́рва.
И уж распа́ришься,
                   разжа́ришься уж!

Тут —
85   вертай ру́чки:
и ка́плет
    прохла́дный
        до́ждик-душ
из ды́рчатой
90   желе́зной ту́чки.
Ну ж и ла́сковость в э́том ду́ше!
Тебя́
   никако́й
      не возьмёт упа́док:
95 погла́дит во́лосы,
       потре́плет у́ши
и течёт
   по жо́лобу
      проме́жду лопа́ток.

100 Во́ду
   стира́ешь
      с мо́крого те́льца
полоте́нцем,
     как зверь, мохна́тым.
105 Что́бы су́ше пя́ткам —
       пол
         сте́лется,
извиня́юсь за выраже́ние,
     про́бковым ма́том.
110 Себя́ разгляде́вши
     в зе́ркало впра́вленное,
в руба́ху
   в чи́стую —
     влазь.
115 Вла́жу и ду́маю:
     — Очень пра́вильная
э́та
  на́ша
   сове́тская власть. —

          1928

Чуть вздыха́ет волна́,
>   и, вто́ря ей,
ветеро́к
>   над Евпато́рией.
5 Ветерки́ э́ти са́мые
>   ры́скают,
гла́дят
>   щёку евпаторийскую.
Ля́жем
10   пля́жем
>   в песо́чке ры́ться мы
бро́нзовыми
>   евпаторийцами.
Скрип уклю́чин,
15   всплёски
>   и кри́ки —
развлека́ются
>   евпаторийки.
В дым черны́,
20   в тюбете́йках я́рких
кара́имы
>   евпаторья́ки.
И сравня́сь,
>   загора́ют рья́ней
25 москвичи́ —
>   евпаторья́не.
Всю́ду ро́зы
>   на но́жках то́нких.
Ра́дуются
30   евпаторёнки.
Все боле́зни
>   вы́жмут
>   горя́чие
гря́зи
35   евпаторя́чьи.

Пуд за лето
    с любого толстого
соскребёт
     евпаторство.
40 Очень жаль мне
     тех,
       которые
не бывали
    в Евпатории.

1928

СТИХИ О СОВЕТСКОМ
ПАСПОРТЕ

Я волком бы
     выгрыз
       бюрократизм.
К мандатам
  5   почтения нету.
К любым
    чертям с матерями
        катись
любая бумажка.
10   Но эту...

По длинному фронту
      купе
       и кают
чиновник
15   учтивый
      движется.
Сдают паспорта,
    и я
      сдаю

20 мою
        пурпу́рную кни́жицу.
    К одни́м паспорта́м —
                улы́бка у рта.
    К други́м —
25   отноше́ние плёвое.
    С почте́ньем
            беру́т, наприме́р,
                    паспорта́
    с двухспа́льным
30   англи́йским лёвою.
    Глаза́ми
            до́брого ди́дю вы́ев,
    не перестава́я
                кланя́ться,
35 беру́т,
        как бу́дто беру́т чаевы́е,
    па́спорт
            америка́нца.
    На по́льский —
40   гляди́т,
                    как в афи́шу коза́.
    На по́льский —
                выпи́ливают глаза́
    в туго́й
45   полице́йской слоно́вости —
    отку́да, мол,
            и что э́то за
    географи́ческие но́вости?
    И не поверну́в
50   головы́ коча́н,
    и чувств
            никаки́х
                не изве́дав,
    беру́т,
55   не моргну́в,
            паспорта́ датча́н

50

и ра́зных
        про́чих
                шве́дов.
60 И вдруг,
        как бу́дто
                о́жогом,
                        рот
скриви́ло
65   господи́ну.
Это
    господи́н чино́вник
                 берёт
мою
70   красноко́жую паспорти́ну.
Берёт —
       как бо́мбу,
             берёт —
                    как ежа́,
75 как бри́тву
         обоюдоо́струю,
берёт,
      как грему́чую
               в 20 жал,
80 змею́
      двухметроворо́стую.
Моргну́л
      многозна́чуще
               глаз носи́льщика,
85 хоть ве́щи
        снесёт зада́ром вам.
Жанда́рм
      вопроси́тельно
              смо́трит на сы́щика,
90 сы́щик
      на жанда́рма.
С каки́м наслажде́ньем
           жанда́рмской ка́стой

я был бы

95   исхлёстан и распят

за то,

          что в руках у меня

                    молоткастый,

серпастый

100   советский паспорт.

Я волком бы

          выгрыз

                    бюрократизм.

К мандатам

105   почтения нету.

К любым

          чертям с матерями

                    катись

любая бумажка.

110   Но эту...

Я

   достаю

          из широких штанин

дубликатом

115   бесценного груза.

Читайте,

          завидуйте,

                    я —

                              гражданин

120 Советского союза.

1929

52

СЕРГЕЙ ЕСЕНИН

—

Ни́вы сжа́ты, ро́щи го́лы,
От воды́ тума́н и сы́рость.
Колесо́м за си́ни го́ры
Со́лнце ти́хое скати́лось.

5 Дре́млет взры́тая доро́га.
Ей сего́дня примечта́лось,
Что совсе́м-совсе́м немно́го
Ждать зимы́ седо́й оста́лось.

Ах, и сам я в ча́ще зво́нкой
10 Увида́л вчера́ в тума́не:
Ры́жий ме́сяц жеребёнком
Запряга́лся в на́ши са́ни.

1918

Вот оно́, глу́пое сча́стье
С бе́лыми о́кнами в сад!
По пруду́ ле́бедем кра́сным
Пла́вает ти́хий зака́т.

5 Здра́вствуй, злато́е зати́шье,
С те́нью берёзы в воде́!
Га́лочья ста́я на кры́ше
Слу́жит вече́рню звезде́.

Где-то за са́дом несме́ло,
10 Там, где кали́на цветёт,
Не́жная де́вушка в бе́лом
Не́жную пе́сню поёт.

Сте́лется си́нею ря́сой
С по́ля ночно́й холодо́к...
15 Глу́пое, ми́лое сча́стье,
Све́жая ро́зовость щёк!

1918

Дождик мокрыми мётлами чистит
Ивняковый помёт по лугам.
Плюйся, ветер, охапками листьев, —
Я такой же, как ты, хулиган.

5 Я люблю, когда синие чащи,
Как с тяжёлой походкой волы,
Животами, листвой хрипящими,
По коленкам марают стволы.

Вот оно, моё стадо рыжее!
10 Кто ж воспеть его лучше мог?
Вижу, вижу, как сумерки лижут
Следы человечьих ног.

Русь моя, деревянная Русь!
Я один твой певец и глашатай.
15 Звериных стихов моих грусть
Я кормил резедой и мятой.

Взбрезжи, полночь, луны кувшин
Зачерпнуть молока берёз!
Словно хочет кого придушить
20 Руками крестов погост!

Бродит чёрная жуть по холмам,
Злобу вора струит в наш сад,
Только сам я разбойник и хам
И по крови степной конокрад.

25 Кто видал, как в ночи кипит
Кипячёных черёмух рать?
Мне бы в ночь в голубой степи
Где-нибудь с кистенём стоять.

Ах, увял головы́ моей куст,
30 Засоса́л меня́ пе́сенный плен.
Осужде́н я на ка́торге чувств
Верте́ть жернова́ поэ́м.

Но не бо́йся, безу́мный ветр,
Плюй споко́йно листво́й по луга́м.
35 Не сотре́т меня́ кли́чка «поэ́т»,
Я и в пе́снях, как ты, хулига́н.

1920

Не жале́ю, не зову́, не пла́чу,   54
Всё пройде́т, как с бе́лых я́блонь дым.
Увяда́нья зо́лотом охва́ченный,
Я не бу́ду бо́льше молоды́м.

5 Ты тепе́рь не так уж бу́дешь би́ться,
Се́рдце, тро́нутое холодко́м,
И страна́ берёзового си́тца
Не зама́нит шля́ться босико́м.

Дух бродя́жий, ты всё ре́же, ре́же
10 Расшевели́ваешь пла́мень уст.
О, моя́ утра́ченная све́жесть,
Бу́йство глаз и полово́дье чувств.

Я тепе́рь скупе́е стал в жела́ньях,
Жизнь моя́? иль ты присни́лась мне?
15 Сло́вно я весе́нней гу́лкой ра́нью
Проскака́л на ро́зовом коне́.

Все мы, все мы в э́том ми́ре тле́нны,
Тихо льётся с клёнов ли́стьев медь…
Будь же ты вове́к благослове́нно,
20 Что пришло́ процве́сть и умере́ть.

1922

Да! Тепе́рь решено́. Без возвра́та
Я поки́нул родны́е поля́.
Уж не бу́дут листво́ю крыла́той
Надо мно́ю звене́ть тополя́.

5 Ни́зкий дом без меня́ ссуту́лится,
Ста́рый пёс мой давно́ издо́х.
На моско́вских изо́гнутых у́лицах
Умере́ть, знать, суди́л мне Бог.

Я люблю́ э́тот го́род вя́зевый,
10 Пусть обрю́зг он и пусть одря́х.
Золота́я дремо́тная Азия
Опочи́ла на купола́х.

А когда́ но́чью све́тит ме́сяц,
Когда́ све́тит... чёрт зна́ет как!
15 Я иду́, голово́ю све́сясь,
Переу́лком в знако́мый каба́к.

Шум и гам в э́том ло́гове жу́тком,
Но всю ночь напролёт, до зари́
Я чита́ю стихи́ проститу́ткам
20 И с банди́тами жа́рю спирт.

Се́рдце бьётся всё ча́ще и ча́ще,
И уж я говорю́ невпопа́д:
«Я тако́й же, как вы, пропа́щий,
Мне тепе́рь не уйти́ наза́д».

25 Ни́зкий дом без меня́ ссуту́лится,
Ста́рый пёс мой давно́ издо́х.
На моско́вских изо́гнутых у́лицах
Умере́ть, знать, суди́л мне Бог.

1922-3

Я уста́лым таки́м ещё не́ был.
В э́ту се́рую мо́розь и слизь
Мне присни́лось ряза́нское не́бо
И моя́ непутёвая жизнь.

5 Мно́го же́нщин меня́ люби́ло,
Да и сам я люби́л не одну́,
Не от э́того ль тёмная си́ла
Приучи́ла меня́ к вину́.

Бесконе́чные пья́ные но́чи
10 И в разгу́ле тоска́ не впервь!
Не с того́ ли глаза́ мне то́чит,
Сло́вно си́ние ли́стья червь?

Не больна́ мне ничья́ изме́на,
И не ра́дует лёгкость побе́д, —
15 Тех воло́с золото́е се́но
Превраща́ется в се́рый цвет.

Превраща́ется в пе́пел и во́ды,
Когда́ це́дит осе́нняя муть.
Мне не жаль вас, проше́дшие го́ды, —
20 Ничего́ не хочу́ верну́ть.

Я уста́л себя́ му́чить бесце́льно,
И с улы́бкою стра́нной лица́
Полюби́л я носи́ть в лёгком те́ле
Ти́хий свет и поко́й мертвеца́...

25 И тепе́рь да́же ста́ло не тя́жко
Ковыля́ть из прито́на в прито́н,
Как в смири́тельную руба́шку,
Мы приро́ду берём в бето́н.

И во мне, вот по тем же зако́нам,
30 Умиря́ется бе́шеный пыл.

Но и всё ж отношу́сь я с покло́ном
К тем поля́м, что когда́-то люби́л.

В те края́, где я рос под клёном,
Где резви́лся на жёлтой траве́, —
35 Шлю приве́т воробья́м, и воро́нам,
И рыда́ющей в ночь сове́.

Я кричу́ им в весе́нние да́ли:
«Пти́цы ми́лые, в си́нюю дрожь
Переда́йте, что я отсканда́лил, —
40 Пусть хоть ве́тер тепе́рь начина́ет
Под мики́тки дуба́сить рожь».

1923

РУСЬ СОВЕТСКАЯ

Тот урага́н прошёл. Нас ма́ло уцеле́ло.
На перекли́чке дру́жбы мно́гих нет.
Я вновь верну́лся в край осироте́лый,
В кото́ром не́ был во́семь лет.

5 Кого́ позва́ть мне? С кем мне подели́ться
Той гру́стной ра́достью, что я оста́лся жив?
Здесь да́же ме́льница — бреве́нчатая пти́ца
С крыло́м еди́нственным — стои́т, глаза́ смежи́в.

Я никому́ здесь не знако́м.
10 А те, что по́мнили, давно́ забы́ли.
И там, где был когда́-то о́тчий дом,
Тепе́рь лежи́т зола́ да слой доро́жной пы́ли.

А жизнь кипи́т.
Вокру́г меня́ сную́т
15 И ста́рые и молоды́е ли́ца.
Но не́кому мне шля́пой поклони́ться,
Ни в чьих глаза́х не нахожу́ прию́т.

И в голове́ мое́й прохо́дят ро́ем ду́мы:
Что ро́дина?
20 Уже́ли э́то сны?
Ведь я почти́ для всех здесь пилигри́м угрю́мый
Бог весть с како́й далёкой стороны́.

И э́то я!
Я, граждани́н села́,
25 Кото́рое лишь тем и бу́дет знамени́то,
Что здесь когда́-то ба́ба родила́
Росси́йского сканда́льного пии́та.

Но го́лос мы́сли се́рдцу говори́т:
«Опо́мнись! Чем же ты оби́жен?
30 Ведь э́то то́лько но́вый свет гори́т
Друго́го поколе́ния у хи́жин.

Уже́ ты стал немно́го отцвета́ть,
Други́е ю́ноши пою́т други́е пе́сни.
Они́, пожа́луй, бу́дут интере́сней —
35 Уж не село́, а вся земля́ им мать».

Ах, ро́дина! Како́й я стал смешно́й.
На щёки впа́лые лети́т сухо́й румя́нец.
Язы́к согра́ждан стал мне как чужо́й,
В свое́й стране́ я сло́вно иностра́нец.

40 Вот ви́жу я:
Воскре́сные сельча́не
У во́лости, как в це́рковь, собрали́сь.
Коря́выми, немы́тыми реча́ми
Они́ свою́ обсу́живают «жись».

45 Уж ве́чер. Жи́дкой позоло́той
Зака́т обры́згал се́рые поля́.
И но́ги бо́сые, как тёлки под воро́та,
Уткну́ли по кана́вам тополя́.

Хромой красноармеец с ликом сонным,
50 В воспоминаниях морщиня лоб,
Рассказывает важно о Будённом,
О том, как красные отбили Перекоп.

«Уж мы его — и этак и раз-этак, —
Буржуя энтого… которого… в Крыму…»
55 И клёны морщатся ушами длинных веток,
И бабы охают в немую полутьму.

С горы идёт крестьянский комсомол,
И под гармонику, наяривая рьяно,
Поют агитки Бедного Демьяна,
60 Весёлым криком оглашая дол.

Вот так страна!
Какого ж я рожна
Орал в стихах, что я с народом дружен?
Моя поэзия здесь больше не нужна,
65 Да и, пожалуй, сам я тоже здесь не нужен.

Ну что ж!
Прости, родной приют.
Чем сослужил тебе, и тем уж я доволен,
Пускай меня сегодня не поют —
70 Я пел тогда, когда был край мой болен.

Приемлю всё.
Как есть всё принимаю.
Готов идти по выбитым следам.
Отдам всю душу октябрю и маю,
75 Но только лиры милой не отдам.

Я не отдам её в чужие руки,
Ни матери, ни другу, ни жене.
Лишь только мне она свой вверяла звуки
И песни нежные лишь только пела мне.

80 Цветите, юные! И здоровейте телом!
У вас иная жизнь, у вас другой напев.
А я пойду один к неведомым пределам,
Душой бунтующей навеки присмирев.

Но и тогда,
85 Когда во всей планете
Пройдёт вражда племён,
Исчезнет ложь и грусть, —
Я буду воспевать
Всем существом в поэте
90 Шестую часть земли
С названьем кратким «Русь».

1924

58

Ну, целуй меня, целуй,
Хоть до крови, хоть до боли.
Не в ладу с холодной волей
Кипяток сердечных струй.

5 Опрокинутая кружка
Средь весёлых не для нас.
Понимай, моя подружка,
На земле живут лишь раз!

Оглядись спокойным взором,
10 Посмотри: во мгле сырой
Месяц, словно жёлтый ворон,
Кружит, вьётся над землёй.

Ну, целуй же! Так хочу я.
Песню тлен пропел и мне.
15 Видно, смерть мою почуял
Тот, кто вьётся в вышине.

Увяда́ющая си́ла!
Умира́ть — так умира́ть!
До кончи́ны гу́бы ми́лой
20 Я хоте́л бы целова́ть.

Чтоб всё вре́мя в си́них дрёмах,
Не стыдя́сь и не тая́,
В не́жном ше́лесте черёмух
Раздава́лось: «Я твоя́».

25 И чтоб свет над по́лной кру́жкой
Лёгкой пе́ной не пога́с —
Пей и пой, моя́ подру́жка:
На земле́ живу́т лишь раз!

1925

59   Мо́жет, по́здно, мо́жет, сли́шком ра́но,
И о чём не ду́мал мно́го лет,
Походи́ть я стал на Дон-Жуа́на,
Как запра́вский ве́треный поэ́т.

5 Что случи́лось? Что со мно́ю ста́лось?
Ка́ждый день я у други́х коле́н.
Ка́ждый день к себе́ теря́ю жа́лость,
Не смиря́ясь с го́речью изме́н.

Я всегда́ хоте́л, чтоб се́рдце ме́ньше
10 Би́лось в чу́вствах не́жных и просты́х,
Что ж ищу́ в оча́х я э́тих же́нщин —
Легкоду́мных, лжи́вых и пусты́х?

Удержи́ меня́, моё презре́нье,
Я всегда́ отме́чен был тобо́й.
15 На душе́ холо́дное кипе́нье
И сире́ни ше́лест голубо́й.

На душе́ — лимо́нный свет зака́та,
И всё то же слы́шно сквозь тума́н, —
За свобо́ду в чу́вствах есть распла́та,
20 Принима́й же вы́зов, Дон-Жуа́н!

И, споко́йно вы́зов принима́я,
Ви́жу я, что мне одно́ и то ж —
Чтить мете́ль за си́ний цве́тень ма́я,
Звать любо́вью чу́вственную дрожь.

25 Так случи́лось, так со мно́ю ста́лось,
И с того́ у мно́гих я коле́н,
Что́бы ве́чно сча́стье улыба́лось,
Не смиря́ясь с го́речью изме́н.

1925

ЭДУАРД БАГРИЦКИЙ

БЕССОННИЦА

Если не по звёздам — по сердцебиенью
Полночь узнаешь, идущую мимо...
Сосны за окнами — в чёрном оперенье,
Собаки за окнами — клочьями дыма.
5 Всё, что осталось!
Хватит! Довольно!
Кровь моя, что ли, не ходит в теле?
Уши мои, что ли, не слышат вольно?
Пальцы мои, что ли, окостенели?..
10 Видно и слышно: над прорвою медвежьей
Звёзды вырастают в кулак размером!
Буря от Волги, от низких побережий
Чёрные деревни гонит карьером...
Вот уже по стёклам двинуло дыханье
15 Ветра, и стужи, и каторжной погоды...
Вот закачались, загикали в тумане
Чёрные травы, как чёрные воды...
И по этим водам, по злому вою,
Крыльями крыльца раздвигая сосны,
20 Сруб начинает двигаться в прибое,
Круглом и долгом, как гром колёсный...
Словно корабельные пылают знаки,
Стёкла, налитые горячей жёлчью,
Следом, упираясь, тащатся собаки,
25 Лязгая цепями, скуля по-волчьи...
Лопнул частокол, разлетевшись пеной...
Двор позади... И на просеку разом
Сруб вылетает! Бревенчатые стены
Ночь озираютгорячим глазом.
30 Прямо по болотам, гоняя уток,
Прямо по лесам, глухарей пугая,
Дом пролетает, разбивая круто

Камни и кочки и пни подгибая...
Это черноморская ночь в уборе
35 Вологодских звёзд — золотых баранок;
Это расступается Чёрное море
Чёрных сосен и чёрного тумана!..
Это летит по оврагам и скатам
Крыша с откинутой назад трубою,
40 Так что дым кнутом языкатым
Хлещет по стволам и по хвойному прибою...
Это, стремглав, наудачу, в прорубь,
Это, деревянные вздувая рёбра,
В гору вылетая, гремя под гору,
45 Дом пролетает тропой недоброй...
Хватит! Довольно! Стой!

      На разгоне

Трудно удержаться! Ещё по краю
Низкого забора ветвей погоня,
50 Искры от напора ещё играют,
Ветер от разбега ещё не сгинул,
Звёзды ещё рвутся в порыве гонок...
Хватит! Довольно! Стой!

      На перину

55 Падает откинутый толчком ребёнок...
Только за оконницей проходят росы,
Сосны кивают синим опереньем.
Вот они, сбитые из брёвен и тёса,
Дом мой и стол мой: моё вдохновенье!
60 Прочно установлена косая хвоя,
Врыт частокол, и собака стала.
  — Милая! Где же мы?
  — Дома, под Москвою;
Десять минут ходьбы от вокзала...

                       1927

Я не запо́мнил, на како́м ночле́ге
Пробра́л меня́ гряду́щей жи́зни зуд.
Качну́лся мир.
Звезда́ споткну́лась в бе́ге
5 И заплеска́лась в голубо́м тазу́.
Я к ней тяну́лся... Но, сквозь па́льцы ре́я,
Она́ рвану́лась — краснобо́кий язь.
Над колыбе́лью ржа́вые евре́и
Косы́х боро́д скрести́ли лезвия́.
10 И всё навы́ворот.
Всё как не на́до.
Стуча́л саза́н в око́нное стекло́;
Конь щебета́л; в ладо́ни я́стреб па́дал;
Пляса́ло де́рево.
15 И де́тство шло.
Его опре́сноками иссуша́ли.
Его свечо́й пыта́лись обману́ть.
К нему́ в упо́р придви́нули скрижа́ли —
Врата́, кото́рые не распахну́ть.
20 Евре́йские павли́ны на оби́вке,
Евре́йские скиса́ющие сли́вки,
Косты́ль отца́ и ма́тери чепе́ц —
Всё бормота́ло мне:
— Подле́ц! Подле́ц! —
25 И то́лько но́чью, то́лько на поду́шке
Мой мир не рассека́ла борода́;
И ме́дленно, как ме́дные полу́шки,
Из кра́на в ку́хне па́дала вода́.
Свора́чивалась. Набега́ла ту́чей.
30 Струи́стое точи́ла лезвиё...
— Ну как, скажи́, пове́рит в мир теку́чий
Евре́йское неве́рие моё?
Меня́ учи́ли: кры́ша — э́то кры́ша.
Груб табуре́т. Уби́т подо́швой пол,
35 Ты до́лжен ви́деть, понима́ть и слы́шать,

На мир облокотиться, как на стол.
А древоточца часовая точность
Уже долбит подпорок бытиё.
... Ну как, скажи, поверит в эту прочность
40 Еврейское неверие моё?
Любовь?
Но съеденные вшами косы;
Ключица, выпирающая косо;
Прыщи; обмазанный селёдкой рот
45 Да шеи лошадиный поворот.
Родители?
Но в сумраке старея,
Горбаты, узловаты и дики,
В меня кидают ржавые евреи
50 Обросшие щетиной кулаки.
Дверь! Настежь дверь!
Качается снаружи
Обглоданная звёздами листва,
Дымится месяц посредине лужи,
55 Грач вопиёт, не помнящий родства.
И вся любовь,
Бегущая навстречу,
И всё кликушество
Моих отцов,
60 И все светила,
Строящие вечер,
И все деревья,
Рвущие лицо, —
Всё это встало поперёк дороги,
65 Больными бронхами свистя в груди:
— Отверженный! Возьми свой скарб убогий,
Проклятье и презренье!
Уходи! —
Я покидаю старую кровать:
70 — Уйти?
Уйду!
Тем лучше!   Наплевать!

1930

67

Озверевший зубр в блестящем цилиндре —
Ты медленно поводишь остеклевшими глазами
На трубы, ловящие, как руки, облака,
На грязную мостовую, залитую нечистотами.

5 Вселенский спортсмен в оранжевом костюме,
Ты ударил землю кованым каблуком,
И она взлетела в огневые пространства
И несётся быстрее, быстрее, быстрей...

Божественный сибарит с бронзовым телом,
10 Следящий, как в изумрудной чаше Земли,
Подвешенной над кострами веков,
Вздуваются и лопаются народы.

О Полководец Городов, бешено лающих на Солнце,
Когда ты гордо проходишь по улице,
15 Дома вытягиваются во фронт,
Поворачивая крыши направо.

Я, изнеженный на пуховиках столетий,
Протягиваю тебе свою выхоленную руку,
И ты пожимаешь её уверенной ладонью,
20 Так что на белой коже остаются синие следы.

Я, ненавидящий Современность,
Ищущий забвения в математике и истории,
Ясно вижу своими всё же вдохновенными глазами,
Что скоро, скоро мы сгинем, как дымы.

25 И, почтительно сторонясь, я говорю:
«Привет тебе, Маяковский!»

Кто услышал раковины пенье,
Бросит берег — и уйдёт в туман;
Даст ему покой и вдохновенье
Окружённый ветром океан…

5 Кто увидел дым голубоватый,
Подымающийся над водой,
Тот пойдёт дорогою проклятой,
Звонкою дорогою морской…

Так и я…
10 Моё перо писало,
Ум выдумывал,
А голос пел;
Но осенняя пора настала,
И в деревьях ветер прошумел…

15 И вдали, на берегу широком
О песок ударилась волна,
Ветер соль развеял ненароком,
Чайки раскричались дотемна…

Буду скучным я или не буду —
20 Всё равно!
    Отныне я — другой…
Мне матросская запела удаль,
Мне трещал костёр береговой…

Ранним утром
25 Я уйду с Дальницкой,
Дынь возьму и хлеба в узелке, —
Я сегодня
Не поэт Багрицкий,
Я — матрос на греческом дубке…

30 Свежий ветер закипает брагой,
Сердце ударяет о ребро...
Обернётся парусом бумага,
Укрепится мачтою перо...

Этой осенью я понял снова
35 Скуку поэтической нужды:
Не уйти от берега родного,
От павлиньей,
Радужной воды...

Только в море —
40 Бесшабашней пенье,
Только в море —
Мой разгул широк.
Подгоняй же, ветер вдохновенья,
На борт накренившийся дубок...

—

ПУШКА   **64**

Как мо́крые разда́вленные сли́вы
У лошаде́й раско́сые глаза́,
Лоску́тья умира́ющей крапи́вы
На колесе́, сполза́ющем наза́д.

5 Трясётся холм от у́жаса, как ка́рлик,
Услы́шавший цикло́пью болтовню́,
И ско́ро о́блачной нехва́тит ма́рли
На перевя́зки ра́неному дню.

Цикло́пом пра́вит ма́льчик с канаре́йку,
10 Он веселе́й горя́щего куста́,
Уда́рную за хвост он ло́вит зме́йку, —
Пойма́ет, и цикло́п загрохота́л.

И о́ба так дружны́ и так согла́сны,
Что, ко́нчив быть горла́стым палачо́м,
15 Когда́ его́ цикло́пий глаз пога́снет, —
Он ма́льчика сажа́ет на плечо́.

И ло́шади их та́щат по отко́су —
Безде́льников — двумя́ ряда́ми пар,
И ма́льчик свёртывает папиро́су,
20 Криву́ю, как бегу́щая тропа́.

             1920

Мою́ ду́шу кузне́ц закали́л не вчера́,   **65**
   Студи́л её до́лго на льду.
«Дай ру́ку, — сказа́ла мне но́чью гора́: —
   С тобо́й куда́ хо́чешь пойду́!»

5 И со́лнечных дней золоты́е шесты́
    Оста́лись в распу́тьях мои́х,
  И кла́нялись в но́ги, проси́ли мосты́,
    Моли́ли пройти́ через них.

  И ро́щи крича́ли: «Люби́мый, мы ждём,
10   Верны́ твоему́ топору́!»
  Овра́ги и го́ры горя́чим дождём
    Мне та́йную гре́ли нору́.

  И был я беспу́тен, и был я хмелён,
    Ещё кровожа́дней, чем рысь.
15 И ка́менным со́лнцем до ног опалён, —
    Но пе́снями гу́бы зажгли́сь.

                         1920

66   Не заглуши́ть, не вы́топтать года́, —
  Стуча́л топо́р над необъя́тным сру́бом,
  И ве́чностью калёная вода́
  Вдруг обожгла́ запёкшиеся гу́бы.

5 Владе́ть крыла́ми ве́тер научи́л,
  Пожа́р шуме́л и де́лал кровь янта́рной,
  И бра́гой тёмной пу́тников в ночи́
  Земля́ пои́ла благода́рно.

  И вот под не́бом, дро́гнувшим тогда́,
10 Откры́лось в ди́ком и просто́м убра́нстве,
  Что в ка́ждом взо́ре пе́нится звезда́
  И с ка́ждым ша́гом ши́рится простра́нство!

                         1922

Кустарник стаял. Поредели сосны.
На неожиданном краю земли
Лежала лодка в золотых осколках
Последнего, разбившегося солнца.
5 Ни голоса, ни следа, ни тропы —
Кривая лодка и блестевший лёд. —
Как будто небо под ноги легло.

Лёд звал вперёд, сиял и улыбался
Большими белыми глазами — лёд!
10 И мы пошли, и мы ушли б, но лодка —
Она лежала строго на боку,
Вечерние, погнувшиеся доски
Нам говорили: «Здесь конец земли».

За чёрным мысом вспыхнуло сиянье,
15 И золото в свинец перелилось.

Ты написала на холодной льдине —
Не помню я, и лёд и небеса
Не помнят тоже, что ты написала.
Теперь та льдина в море, далеко
20 Плывёт и дышит глубоко и тихо,
Как этот вечер в золотых осколках
Плывёт в груди...

1922

Там генцианы синие в лугах,
Поток румяный в снежных берегах,
Там в неповторной прелести долин
Встал ледяной иль чёрный исполин.

5 Там есть поляна лёгкая одна,
Где утром рано вся страна видна.
Родник там бьёт; кто пил из родника,
Тот вновь придёт под эти облака,

В лесо́в раска́т, в скали́стые края́, —
10 В твой си́ний сад, Сване́тия моя́.

Не о тебе́ я ны́нче говорю́, —
Я ми́лую встреча́ю, как зарю́.
В глаза́х её споко́йные огни́,
Сильне́е си́них генциа́н они́.
15 Я пью озно́б горя́щий родника́,
И све́тится во тьме её рука́.

Како́й страно́й её я назову́,
Тако́й родно́й во сне и наяву́;
Сквозь но́чи шёлк, сквозь гро́зных бу́дней гладь,
20 Куда́ б ни шёл, я к ней иду́ опя́ть.

1938

69   Же́нщина в деверя́х стоя́ла,
В зака́те с головы́ до ног,
И пря́жу чёрную мота́ла
На чёрный свой челно́к.

5 Рука́ блеснёт и сно́ва ля́жет,
Темне́я у виска́,
Мота́ла жизнь мою́, как пря́жу,
Горя́нки той рука́.

И бык, с траво́й во рту шага́я,
10 Шёл сни́зу в э́тот дом,
Уви́дел кра́сные рога́ я
Под чёрным челноко́м.

Зака́та у́голь предпосле́дний,
Весь раскалён, дрожа́л.
15 Между́ рого́в — ау́л сосе́дний
Весь целико́м лежа́л.

И си́зый пар, всползая кру́чей,
Домо́в лиза́л бока́,
И не́ было опра́вы лу́чше
20 Косы́х рого́в быка́.

Но ду́нет ве́тер, леденея,
И ко́нчится челно́к,
Мелькнёт после́дний взмах, черне́я,
После́дний ше́рсти клок...

25 Вот торжество́ неодоли́мых
Просты́х высо́т.
А пе́сни что? Их то́нким ды́мом
В уще́лье унесёт.

Я люблю́ тебя той — без причёски,   70
Без румя́н — перед но́чи концо́м,
В чёрном бле́ске воло́с твои́х жёстких,
С побледне́вшим и стро́гим лицо́м.

5 Но, отня́в свои́ ру́ки и гу́бы,
Ты ухо́дишь, ты ве́чно в пути́,
А ведь се́рдце не мо́жет на у́быль,
Как полно́чная встре́ча, идти́.

Сло́вно сон, что случа́йно вспугну́ли,
10 Ты ухо́дишь, как сон, — в глубину́
Чужеда́льних мелька́ющих у́лиц,
За страно́ю меня́ешь страну́.

Я дыша́л тобо́й в су́мраке ры́жем,
Что муче́ний любы́х горяче́й,
15 В раскалённых бульва́рах Пари́жа,
В синеве́ ленингра́дских ноче́й.

В крутизне́ закавка́зских наго́рий,
В равноду́шье моско́вской зимы́
Я дыша́л э́той сла́достью го́ря,
20 До кото́рого до́жили мы.

Где ж ещё я тебя́ повстреча́ю.
Вновь уви́жу, как ты хороша́?
Из како́го ты мра́ка, отча́ясь,
Улыбнёшься, почти́ не дыша́?

25 В суету́ и суро́вость дневну́ю,
Посреди́ роковы́х новосте́й,
Я не сету́ю, я не ревну́ю, —
Ты — мой хлеб в э́тот го́лод страсте́й.

ИЛЬЯ СЕЛЬВИНСКИЙ

—

БЕЛЫЙ ПЕСЕЦ

Мы начина́ем с тобо́й старе́ть,
Спу́тница дорога́я моя́...
В зе́ркало вгля́дываешься остре́й,
Боль от само́й себя́ затая́.

5 Ты ещё хо́дишь-плывёшь по земле́
В о́блаке же́нственного тепла́,
Но уж в улы́бке, что све́та миле́й,
Ли́шняя че́рточка залегла́.

Но ведь и э́ти морщи́нки твои́
10 Очень тебе́, дорога́я, к лицу́.
Нет, не расплю́щить на́шей любви́
Да́же и вре́мени колесу́!

Меж задуше́вных имён и лиц
Ты — как черво́нец в ку́че пезе́тт,
15 Как среди́ ме́ха цветны́х лиси́ц
Све́жий, как снег, бе́лый песе́ц.

Если захо́чешь меня́ прокля́сть,
Бу́ду уни́женней всех люде́й,
Если осле́пнет влюблённый глаз,
20 Воспомина́ньями бу́ду гляде́ть...

Ско́лько отму́чено мук с тобо́й,
Ско́лько иссме́яно сме́ха вдвоём!
Как мы, невзы́сканные судьбо́й,
К да́льним да́лям друг дру́га зовём.

25　Ра́дуйся ж ка́ждому но́вому дню!
　　　Пусть оплета́ет лука́вая сеть —
　　　В берло́ге души́ тебя́ сохраню́,
　　　Мой драгоце́нный, мой Бе́лый Песе́ц.

1932

ПОЭЗИЯ

　　　Поэ́зия! Не шу́тки ра́ди
　　　Над ри́фмой бьёшься взаперти́,
　　　Как э́то де́лают в шара́де,
　　　Чтоб то́лько вре́мя провести́.

5　Поэ́зия! Не ра́ди сла́вы,
　　　Чью ве́рность тру́дно убере́чь,
　　　Ты утвержда́ешь велича́во
　　　Свою́ взволно́ванную речь.

　　　Заче́м же ну́жно так и э́дак
10　В строке́ переставля́ть слова́?
　　　Ведь не зате́м, чтоб напосле́док
　　　Чуть-чуть кружи́лась голова́?

　　　Нет! Горизо́нты не таки́е
　　　В глуби́нах сло́ва я пости́г:
15　Свобо́ды гро́зная стихи́я
　　　Из му́ки вы́плеснула стих!

　　　Вот почему́ он жил в наро́де,
　　　И он вове́ки не умрёт
　　　До той поры́, пока́ в приро́де
20　Людско́й не прекрати́тся род.

　　　Быва́ют стро́фы из жемчу́жин,
　　　Но их недо́лго мы храни́м:
　　　Тогда́ лишь стих наро́ду ну́жен,
　　　Когда́ и ды́шит вме́сте с ним!

25 Он шёл с толпой на баррикады.
   Его ссылали как борца.
   Он звал рабочие бригады
   На штурмы Зимнего дворца.

   И вновь над ним шумят знамёна —
30 И, вырастая под огнём
   Он окликает поимённо
   Бойцов, тоскующих о нём.

   Поэзия! Ты — служба крови!
   Так перелей себя в других
35 Во имя жизни и здоровья
   Твоих сограждан дорогих.

   Пускай им грезится победа
   В пылу труда, в дыму войны,
   И ходит
40   в жилах
                     мощь
                          поэта,
   Неся дыхание волны.

                                        1941

Я слоняюсь в радости недужной,   **73**
Счастье ты моё, моя тоска…
Ничего мне от тебя не нужно —
Ни дыхания, ни шепотка,

5 Ни твоих ладошек полудетских,
Из которых пил бы я тепло,
Ни полупоклонов Ваших дерзких,
Будто мне подаренных назло.

Не голубка — ты скорее сокол,
10 И тебя стрелою не добыть.
Но ведь оттого, что ты высоко,
Женщиной не перестала быть —

И моё далёкое страданье
Стиснутое, сжатое толпой,
15 Розой
          окровавленной
                    в стакане
Будет полыхать перед тобой.

1958

74   Где-то на пределе красоты
Женщина становится тюльпаном
Или птицей... Мне казалось странным,
Что они реальные. Что ты —
5 (Извини!) — что ты владеешь речью...
Что судьбу твою нечеловечью
Можно втиснуть в банковскую сеть,
И с утра,
          неоном залитая,
10 Будешь ты за кассою сидеть,
Странная, как тучка золотая.

Но от тучки этой золотой
Всё вокруг как бы плывёт насмарку,
Даже сейфы, даже золотой
15 С переводами на фунт и марку...
И останется лишь красота,
Та, что душу рвёт мою на части,
Та, что мир счастливит и несчастит,
Но влечёт к возвышенному... Та!

1959

Вот она, моя тихая пристань,
Берег письменного стола...

Шёл я в жизни, бывало, на приступ,
Прогорал на этом дотла.
5 Сколько падал я, подымался,
Сколько рёбер отбито в боях!
До звериного воя влюблялся,
Ненавидел до боли в зубах.
В обличении лживых «истин»
10 Сколько глупостей делал подчас —
И без сердца на тихую пристань
Возвращался, тоске подчинясь.

Тихо-тихо идут часы,
За секундой секунду чеканя.
15 Четвертушки бумаги чисты.
Перья
        дремлют
                в стакане.
Как спокойно. Как хорошо.
20 Взял перо я для тихого слова...
Но как будто
        я поднял
                ружьё:
Снова пламя! Видения снова!
И опять штормовые дела —
25 В тихой комнате буря да клики!

Берег письменного стола.
Океан за ним — тихий. Великий.

1957

—

ЛИЦО КОНЯ

Живо́тные не спят. Они́ во тьме ночно́й
Стоя́т над ми́ром ка́менной стено́й.

Рога́ми гла́дкими шуми́т в соло́ме
Пока́тая коро́вы голова́.
5 Раздви́нув ску́лы вековы́е,
Её прити́снул камени́стый лоб,
И вот косноязы́чные глаза́
С трудо́м враща́ются по кру́гу.

Лицо́ коня́ прекра́сней и умне́й.
10 Он слы́шит го́вор ли́стьев и камне́й.
Внима́тельный! Он зна́ет крик звери́ный
И в ве́тхой ро́ще ро́кот соловьи́ный.

И зна́я всё, кому́ расска́жет он
Свой чуде́сные виде́нья?
15 Ночь глубока́. На тёмный небоскло́н
Восхо́дят звёзд соедине́нья.
И конь стои́т, как ры́царь на часа́х,
Игра́ет ве́тер в лёгких волоса́х,
Глаза́ горя́т, как два огро́мных ми́ра,
20 И гри́ва сте́лется, как ца́рская порфи́ра.

И е́сли б челове́к уви́дел
Лицо́ волше́бное коня́,
Он вы́рвал бы язы́к бесси́льный свой
И о́тдал бы коню́. Пои́стине досто́ин
25 Име́ть язы́к волше́бный конь!

Мы услыха́ли бы слова́.
Слова́ больши́е, сло́вно я́блоки. Густы́е,
Как мёд или круто́е молоко́.
Слова́, кото́рые вонза́ются, как пла́мя,
30 И, в ду́шу залете́в, как в хи́жину ого́нь,
Убо́гое убра́нство освеща́ют.
Слова́, кото́рые не умира́ют
И о кото́рых пе́сни мы поём.

Но вот коню́шня опусте́ла,
35 Дере́вья то́же разошли́сь,
Скупо́е у́тро го́ры спелена́ло,
Поля́ откры́ло для рабо́т.
И ло́шадь в кле́тке из огло́бель,
Пово́зку кры́тую влача́,
40 Гляди́т поко́рными глаза́ми
В таи́нственный и неподви́жный мир.

1926

НОЧНОЙ САД   77

О сад ночно́й, таи́нственный орга́н,
Лес дли́нных труб, прию́т виолонче́лей!
О сад ночно́й, печа́льный карава́н
Немы́х дубо́в и неподви́жных е́лей!

5 Он це́лый день мета́лся и шуме́л.
Был би́твой дуб, и то́поль — потрясе́ньем.
Сто ты́сяч ли́стьев, как сто ты́сяч тел,
Переплета́лись в во́здухе осе́ннем.

Желе́зный А́вгуст в дли́нных сапога́х
10 Стоя́л вдали́ с большо́й таре́лкой ди́чи.
И вы́стрелы греме́ли на луга́х,
И в во́здухе мелька́ли те́льца пти́чьи.

83

И сад умо́лк, и ме́сяц вы́шел вдруг,
Легли́ внизу́ деся́тки дли́нных те́ней,
15 И то́лпы лип вздыма́ли ки́сти рук,
Скрыва́я птиц под ку́пами расте́ний.

О сад ночно́й, о бе́дный сад ночно́й,
О существа́, засну́вшие надо́лго!
О, вспы́хнувший над са́мой головой,
20 Мгнове́нный пла́мень звёздного оско́лка!

1936

СОЛОВЕЙ

Уже́ умолка́ла лесна́я капе́лла.
Едва́ открыва́л своё го́рлышко чи́жик.
В коро́нке листо́в соловьи́ное те́ло
Одно́, не смолка́я, над ми́ром звене́ло.

5 Чем бо́льше я гнал вас, кова́рные стра́сти,
Тем ме́ньше я мог насмеха́ться над ва́ми.
В твое́й ли, пичу́жка ничто́жная, вла́сти
Безмо́лвствовать в э́том сия́ющем хра́ме?

Косы́е лучи́, ударя́я в пове́рхность
10 Прохла́дных листо́в, улета́ли в простра́нство.
Чем бо́льше тебя́ я испы́тывал, ве́рность,
Тем ме́ньше я ве́рил в твоё постоя́нство.

А ты, солове́й, пригвождённый к иску́сству,
В свою́ Клеопа́тру влюблённый Анто́ний,
15 Как мог ты дове́риться, бе́шеный, чу́вству,
Как мог ты увле́чься любо́вной пого́ней?

Заче́м, покида́я вече́рние ро́щи,
Ты се́рдце моё разрыва́ешь на ча́сти?
Я бо́лен тобо́ю, а бы́ло бы про́ще
20 Расста́ться с тобо́ю, уйти́ от напа́сти.

Уж так, видно, мир этот создан, чтоб звери,
Родители первых пустынных симфоний,
Твои восклицанья услышав в пещере,
Мычали и выли: «Антоний! Антоний!»

1939

Я не ищу гармонии в природе.
Разумной соразмерности начал
Ни в недрах скал, ни в ясном небосводе
Я до сих пор, увы, не различал.

5 Как своенравен мир её дремучий!
В ожесточённом пении ветров
Не слышит сердце правильных созвучий,
Душа не чует стройных голосов.

Но в тихий час осеннего заката,
10 Когда умолкнет ветер вдалеке,
Когда, сияньем немощным объята,
Слепая ночь опустится к реке,

Когда, устав от буйного движенья,
От бесполезно тяжкого труда,
15 В тревожном полусне изнеможенья
Затихнет потемневшая вода,

Когда огромный мир противоречий
Насытится бесплодною игрой, —
Как бы прообраз боли человечьей
20 Из бездны вод встаёт передо мной.

И в этот час печальная природа
Лежит вокруг, вздыхая тяжело,
И не мила ей дикая свобода,
Где от добра неотделимо зло.

25 И снится ей блестя́щий вал турби́ны,
   И ме́рный звук разу́много труда́,
   И пе́нье труб, и за́рево плоти́ны,
   И на́литые то́ком провода́.

   Так, засыпа́я на свое́й крова́ти,
30 Безу́мная, но лю́бящая мать
   Тайт в себе́ высо́кий мир дитя́ти,
   Чтоб вме́сте с сы́ном со́лнце увида́ть.

1947

АЛЕКСАНДР ТВАРДОВСКИЙ

—

ТРАКТОРНЫЙ ВЫЕЗД В 1930 ГОДУ

Светло́ на у́лице, и ви́ден сад наскво́зь,
За са́дом по́ле поднима́ется широ́кое.
Обхо́дят лю́ди тра́ктор, то́чно нагру́жённый воз.
Гляда́т с почте́ньем, ничего́ не тро́гая.

5 Меха́ник рулево́го усади́л,
Как бу́дто во́жжи в ру́ки дал впервы́е.
Встал на крыло́ и гро́мко объяви́л:
— Това́рищи! Сего́дня пе́рвый вы́езд...

И расступи́лись лю́ди у воро́т,
10 Маши́не путь с гото́вностью отме́рив.
Не то́лько в то, что по земле́ пойдёт, —
Что полети́т — гото́вы бы́ли ве́рить.

Вот завели́. И да́ли газ. И вдруг, —
За ним не разобра́ть — что э́то: го́вор, крик ли, —
15 Всех оглуши́л дух захвати́вший стук
(Тепе́рь-то к сту́ку э́тому привы́кли!).

И тра́ктор тро́нулся, и все, кто был в селе́,
Пошли́ за ним нестро́йною коло́нной.
След в ёлочку ложи́лся по земле́,
20 Дождём густы́м и холодко́м скреплённый...

За со́тни лет здесь выходи́л наро́д
Так поголо́вно то́лько в па́мятные го́ды.
С наде́ждами на урожа́йный год,
С ико́нами, с попа́ми — кре́стным хо́дом...

25 Запел механик, кто-то выше взял,
Запели все — мужчины, женщины и дети —
Интернационал! Интернационал!
И пели словно в первый раз на свете.

1930-34

81

Погляжу, какой ты милый,
Замечательный какой.
Нет, недаром полюбила,
Потеряла я покой.

5 Только ты не улыбайся,
Не смотри так с высоты,
Милый мой, не зазнавайся:
Не один на свете ты.

Разреши тебе заметить,
10 Мой мальчишка дорогой,
Был бы ты один на свете —
И вопрос тогда другой.

За глаза и губы эти
Всё простилось бы тебе.
15 Был бы ты один на свете —
Равных не было б тебе.

Ну, а так-то много равных,
Много, милый, есть таких.
Хорошо, ещё, мой славный,
20 Что и ты один из них.

Погляжу, какой ты милый,
Замечательный какой.
Нет, недаром полюбила,
Потеряла я покой.

Только ты не улыбайся,
Не смотри так с высоты.
Только ты не зазнавайся:
Не один на свете ты.

1937

ДВЕ СТРОЧКИ

82

Из записной потёртой книжки
Две строчки о бойце-парнишке,
Что был в сороковом году
Убит в Финляндии на льду.

5 Лежало как-то неумело
По-детски маленькое тело.
Шинель ко льду мороз прижал,
Далёко шапка отлетела.

Казалось, мальчик не лежал,
10 А всё ещё бегом бежал,
Да лёд за полу придержал...

Среди большой войны жестокой,
С чего — ума не приложу, —
Мне жалко той судьбы далёкой,
15 Как будто мёртвый, одинокий,
Как будто это я лежу,
Примёрзший, маленький, убитый
На той войне незнаменитой,
Забытый, маленький, лежу.

1943

Та кровь, что пролита недаром

83

В сорокалетний этот срок,
Нет, не иссякла вешним паром,
И не ушла она в песок.

5 Не затвердела год от года,
  Не запеклась ещё она, —
  Та кровь подвижника-народа
  Свежа, красна и солона.

  Ей не довольно стать зелёной
10 В лугах травой, в садах листвой.
  Она живой, нерастворённой
  Горит, как пламень заревой.

  Стучит в сердца, владеет нами,
  Не отпуская ни на час,
15 Чтоб наших жертв святая память
  В пути не покидала нас.

  Чтоб нам, внимая славословью,
  И в праздник нынешних побед
  Не забывать, что этой кровью
20 Дымится наш вчерашний след.

  И знать, что к бою правомочна
  Она призвать нас вновь и вновь…
  Как говорится: «Дело прочно,
  Когда под ним струится кровь».

1958

84 Столичной окраины житель барачный,
    Смекалке обязанный долей такой,
    При слове «колхоз» безнадежно и мрачно,
    Зажмурившись, молча махавший рукой;

5   Хвалившийся тем, как расчёл он удачно,
    В село заглянув по дороге с войны, —
    Столичной окраины житель барачный
    Из отпуска прибыл с родной стороны.

— Ну, как? — я спроси́л для поря́дка при встре́че,
10 По о́пыту зна́я уже́ наперёд
Все при́тчи его́, все изви́тия ре́чи,
Отте́нок любо́й и любо́й оборо́т.

И вдруг э́тот плут, э́тот ске́птик прожжённый,
Маста́к изъясня́ться игри́во и зло,
15 — Вы зна́ете что, — отозва́лся смущённо, —
Вы зна́ете, вро́де как де́ло пошло́...

Я в кни́жку занёс э́тот о́тзыв нежда́нный
Зате́м, что для мно́гих на све́те люде́й
Он, мо́жет, ценне́е, как э́то ни стра́нно,
20 Обши́рных рече́й и учёных стате́й.

1958

ВИКТОР БОКОВ

ВЛАДИМИР

Город спит в вишнёвом белом дыме,
В тишине владимирской весны.
Тихо над сердцами молодыми
Веют замечательные сны.

5 Камень стен церковных глух и древен,
Ржавь насквозь проела купола,
Но краса владимирских царевен
Уцелела и до нас дошла.

Я твержу девчонкам черноглазым
10 У обрывов клязьминских крутых:
— Встретились бы раньше богомазам,
Кинулись бы с вас писать святых.

А они смеются: — Наша внешность
Грубовата для святых досок, —
15 Обнажают тело, то есть грешность,
Загорать ложатся на песок.

Передо мной ворота Золотые,
Древности былой надёжный щит.
Через них не конница Батыя,
20 А такси владимирское мчит!

Мне иногда́ меша́ет тишина́
Усну́вшего кварта́ла городско́го.
Она́ привы́чной жи́зни лишена́,
В ней нет гудко́в и го́вора людско́го.

5 Я шум люблю́! Мосто́в тяжёлый гро́хот
Меня́, как пе́сня, ра́дует в гора́х,
Мне нра́вится воды́ зелёный хо́хот,
Когда́ она́ дроби́тся на камня́х.

Мне по душе́ подзе́мный гул вулка́нов,
10 Кача́ющий грани́тные хребты́.
Я не люблю́ молча́нья истука́нов,
Меня́ страша́т их ка́менные рты.

Мне нра́вятся шумя́щие верши́ны
В глуху́ю ночь, в двена́дцатом часу́.
15 Как ни свире́пствуй ве́тер — матерщи́ны
Ты не услы́шишь ни в одно́м лесу́.

Просни́сь, весёлый шум плане́ты,
За ра́ннее побужде́нье прости́,
И в автома́ты пе́рвые моне́ты
20 Для разгово́ров ра́нних опусти́.

Я умолка́ю. Тишина́ ухо́дит.
Звени́т заря́, как у́тренний трамва́й.
И за дома́ми со́лнышко восхо́дит,
И пле́щут во́лны у желе́зных свай.

Упала змеёй золотистая молния
В семейство дремавших ромашек и дрём,
А следом внушительно туча промолвила,
Взял ноты шаляпинским голосом гром.

5 А молния гнёт золотые подковы,
По краешку облака золотом шьёт,
И первая капля, упавши под корень,
Могучие силы природе даёт.

Шлепки водяные по речке, по озеру,
10 Милы комариные танцы дождя!
А туча, скрипя голубыми полозьями,
Уходит — ей медлить минуты нельзя.

Она в голубую далёкую бухту
Спешит, задевая сосцами за лес.
15 Земля разомлела. Намокла. Набухла.
Насытилась пьяною влагой небес.

Теперь-то она не горюет, не тужит,
Теперь-то она полной силой сильна,
Теперь-то она и взаправду послужит
20 И наши труды оправдает сполна!

88

Этот локон, уснувший на лбу,
Много раз повторённый веками,
Много раз обрамлённый венками,
Я спокойно пройти не могу.

5 Эта плавная линия торса
С удивительной лепкою плеч,
Я без спроса в запретное вторгся,
Чтоб его сокровенье сберечь.

Тайна вечных начал бытия
10 И её проявление в форме,
О, какие глубокие корни
Ты, как в землю, пустила в меня!

Синева пламенеющих льдинок
Под ресницами тихо горит.
15 Взгляд на взгляд. И опять поединок,
Где безмолвно гроза говорит.

Этот взгляд сквозь черёмуху,   **89**
Полный лукавства,
Полный смелости юной,
Огня, озорства,
5 Он проник в моё сердце
Как яд, как лекарство,
Как бессмертная суть
Самого естества.
Эти брови, немного поднятые кверху,
10 Торжество и сознанье
Победы своей.
Эти губы, смешливо
Жующие ветку,
Этот стан, что прикрыт
15 Молодым опереньем ветвей,
Эта острая вспышка
Мгновенного чувства,
Эта взбудоражь новая
В старой крови
20 Мне сказали, что сердце
Покамест не пусто,
Что оно ещё хочет
И жаждет любви!

95

КОНСТАНТИН СИМОНОВ

А. СУРКОВУ

Ты по́мнишь, Алёша, доро́ги Смоле́нщины,
Как шли бесконе́чные, злы́е дожди́,
Как кри́нки несли́ нам уста́лые же́нщины,
Прижа́в, как дете́й, от дождя́ их к груди́,

5 Как слёзы они́ вытира́ли укра́дкою,
Как вслед нам шепта́ли: «Госпо́дь вас спаси́!»
И сно́ва себя́ называ́ли солда́тками,
Как встарь повело́сь на вели́кой Руси́.

Слеза́ми изме́ренный ча́ще, чем вёрстами,
10 Шёл тракт, на приго́рках скрыва́ясь из глав:
Дере́вни, дере́вни, дере́вни с пого́стами,
Как бу́дто на них вся Росси́я сошла́сь,

Как бу́дто за ка́ждою ру́сской око́лицей,
Кресто́м свои́х рук огражда́я живы́х,
15 Всем ми́ром сойдя́сь, на́ши пра́деды мо́лятся
За в Бо́га не ве́рящих вну́ков свои́х.

Ты зна́ешь, наве́рное, всё-таки ро́дина —
Не дом городско́й, где я пра́зднично жил,
А э́ти посёлки, что де́дами про́йдены,
20 С просты́ми креста́ми их ру́сских моги́л.

Не зна́ю, как ты, а меня́ с дереве́нскою
Доро́жной тоско́й от села́ до села́,
Со вдо́вьей слезо́ю и пе́снею же́нскою
Впервы́е война́ на просёлках свела́.

25 Ты по́мнишь, Алёша: изба́ под Бори́совом,
По мёртвому пла́чущий де́вичий крик,

Седая старуха в салопчике плисовом,
Весь в белом, как на смерть одетый, старик.

Ну, что им сказать, чем утешить могли мы их?
30 Но, горе поняв своим бабьим чутьём,
Ты помнишь, старуха сказала: «Родимые,
Покуда идите, мы вас подождём».

«Мы вас подождём!» — говорили нам пажити.
«Мы вас подождём!» — говорили леса.
35 Ты знаешь, Алёша, ночами мне кажется,
Что следом за мной их идут голоса.

По русским обычаям, только пожарища
На русской земле раскидав позади,
На наших глазах умирают товарищи,
40 По-русски рубаху рванув на груди.

Нас пули с тобою пока ещё милуют.
Но, трижды поверив, что жизнь уже вся,
Я всё-таки горд был за самую милую,
За горькую землю, где я родился,

45 За то, что на ней умереть мне завещано,
Что русская мать нас на свет родила,
Что, в бой провожая нас, русская женщина
По-русски три раза меня обняла.

1941

Жди меня, и я вернусь.
  Только очень жди,
Жди, когда наводят грусть
  Жёлтые дожди,
5 Жди, когда снега метут,
  Жди, когда жара,

91

Жди, когда других не ждут,
Позабыв вчера.
Жди, когда из дальних мест
10 Писем не придёт,
Жди, когда уж надоест
Всем, кто вместе ждёт.

Жди меня, и я вернусь,
Не желай добра
15 Всем, кто знает наизусть,
Что забыть пора.
Пусть поверят сын и мать
В то, что нет меня,
Пусть друзья устанут ждать,
20 Сядут у огня,
Выпьют горькое вино
На помин души...
Жди. И с ними заодно
Выпить не спеши.

25 Жди меня, и я вернусь
Всем смертям назло.
Кто не ждал меня, тот пусть
Скажет: — Повезло. —
Не понять не ждавшим им,
30 Как среди огня
Ожиданием своим
Ты спасла меня.
Как я выжил, будем знать
Только мы с тобой, —
35 Просто ты умела ждать,
Как никто другой.

1941

ЕВГЕНИЙ ЕВТУШЕНКО

—

Со мно́ю вот что происхо́дит:
ко мне мой ста́рый друг не хо́дит,
а хо́дят в пра́здной суете́
разнообра́зные не те.
5 И он
    не с те́ми хо́дит где-то
и то́же понима́ет э́то,
и наш раздо́р необъясни́м,
и о́ба му́чимся мы с ним.
10 Со мно́ю вот что происхо́дит:
совсе́м не та ко мне прихо́дит,
мне ру́ки на́ плечи кладёт
и у друго́й меня́ крадёт.
А той —
15   скажи́те, Бо́га ра́ди,
кому́ на пле́чи ру́ки класть?
Та,
    у кото́рой я укра́ден,
в отме́стку то́же ста́нет красть.
20 Не сра́зу э́тим же отве́тит,
а бу́дет жить с собо́й в борьбе́
и неосо́знанно наме́тит
кого́-то да́льнего себе́.
О, ско́лько
25   не́рвных
              и неду́жных,
нену́жных свя́зей,
                дружб нену́жных!
Куда́ от э́того я де́нусь?!
30 О, кто-нибу́дь,
          приди́,
              нару́шь

чужи́х люде́й соединённость
и разобщённость
35   бли́зких душ!

1957

93

Когда́ взошло твоё лицо́
над жи́знью ско́мканной мое́ю,
внача́ле по́нял я лишь то,
как ску́дно всё, что я име́ю.
5   Но ро́щи, ре́ки и моря́
оно́ особо освети́ло
и в кра́ски ми́ра посвяти́ло
непосвящённого меня́.
Я так бою́сь, я так бою́сь
10 конца́ нежда́нного восхо́да,
конца́ откры́тий, слёз, восто́рга,
но с э́тим стра́хом не борю́сь.
Я понима́ю — э́тот страх
и есть любо́вь. Его леле́ю,
15 хотя́ леле́ять не уме́ю,
свое́й любви́ небре́жный страж.
Я стра́хом э́тим взят в кольцо́.
Мгнове́нья э́ти — зна́ю — кра́тки,
и для меня́ исче́знут кра́ски,
20 когда́ зайдёт твоё лицо́.

1960

94   БАБИЙ ЯР

Над Ба́бьим Яром па́мятников нет.
Круто́й обры́в, как гру́бое надгро́бье.
Мне стра́шно.
         Мне сего́дня сто́лько лет,
5 как самому́ евре́йскому наро́ду.

Мне ка́жется сейча́с —
                          я иуде́й.
Вот я бреду́ по дре́внему Еги́пту.
А вот я, на кресте́ распя́тый, ги́бну,
10 и до сих пор на мне — следы́ гвозде́й.
Мне ка́жется, что Дре́йфус —
                          э́то я.
Меща́нство —
                   мой доно́счик и судья́.
15 Я за решёткой.
                     Я попа́л в кольцо́.
Затра́вленный,
                оплёванный,
                        обо́лганный.
20 И да́мочки с брюссе́льскими обо́рками,
визжа́, зонта́ми ты́чут мне в лицо́.
Мне ка́жется —
                   я ма́льчик в Белосто́ке.
Кровь льётся, растека́ясь по пола́м.
25 Бесчи́нствуют вожди́ тракти́рной сто́йки
и па́хнут во́дкой с лу́ком попола́м.
Я, сапого́м отбро́шенный, бесси́лен.
Напра́сно я погро́мщиков молю́.
Под го́гот:
30   «Бей жидо́в, спаса́й Росси́ю!»
Лаба́зник избива́ет мать мою́.
О, ру́сский мой наро́д!
                        Я зна́ю —
                                   ты
35 по су́щности интернациона́лен.
Но ча́сто те, чьи ру́ки нечи́сты,
твои́м чисте́йшим и́менем бряца́ли.
Я зна́ю доброту́ мое́й земли́.
Как по́дло,
40   что, и жи́лочкой не дро́гнув,
антисеми́ты пы́шно нарекли́
себя́ «Сою́зом ру́сского наро́да»!

Мне кажется —

я — это Анна Франк,

45 прозрачная,

как веточка в апреле.

И я люблю.

И мне не надо фраз.

Мне надо,

50 чтоб друг в друга мы смотрели.

Как мало можно видеть,

обонять!

Нельзя нам листьев

и нельзя нам неба.

55 Но можно очень много —

это нежно

друг друга в тёмной комнате обнять.

Сюда идут?

Не бойся — это гулы

60 самой весны —

она сюда идёт.

Иди ко мне.

Дай мне скорее губы.

Ломают двери?

65 Нет — это ледоход...

Над Бабьим Яром шелест диких трав.

Деревья смотрят грозно,

по-судейски.

Всё молча здесь кричит,

70 и, шапку сняв,

я чувствую,

как медленно седею.

И сам я,

как сплошной беззвучный крик,

75 над тысячами тысяч погребённых.

Я —

каждый здесь расстрелянный старик.

Я —

каждый здесь расстрелянный ребёнок.

80 Ничто́ во мне

про э́то не забу́дет!

«Интернациона́л»

пусть прогреми́т,

когда́ наве́ки похоро́нен бу́дет

85 после́дний на земле́ антисеми́т.

Евре́йской кро́ви нет в крови́ мое́й.

Но ненави́стен зло́бой заскору́злой

я всем антисеми́там,

как евре́й.

90 И потому́ —

я настоя́щий ру́сский!

1961

НАСЛЕДНИКИ СТАЛИНА

Безмо́лвствовал мра́мор.

Безмо́лвно мерца́ло стекло́.

Безмо́лвно стоя́л карау́л,

на ветру́ бронзове́я.

5 А гроб чуть дыми́лся.

Дыха́ние сквозь ще́ли текло́,

когда́ выноси́ли его́ из двере́й Мавзоле́я.

Гроб ме́дленно плыл,

задева́я края́ми штыки́.

10 Он то́же безмо́лвным был —

то́же! —

но гро́зно безмо́лвным.

Угрю́мо сжима́я

набальзами́рованные кулаки́,

15 в нём к ще́ли прини́к

челове́к, притвори́вшийся мёртвым.

Хоте́л он запо́мнить всех тех,

кто его́ выноси́л:

ряза́нских и ку́рских моло́деньких новобра́нцев,

20 чтоб как-нибудь после
        набраться для вылазки сил,
    и встать из земли,
        и до них, неразумных, добраться.
    Он что-то задумал.
25   Он лишь отдохнуть прикорнул.

    И я обращаюсь к правительству нашему с просьбою:
    удвоить,
        утроить
            у этой плиты караул,
30 чтоб Сталин не встал,
        и со Сталиным —
            прошлое.

    Я речь не о том сокровенном и доблестном прошлом веду,
    где был Турксиб,
35   и Магнитка,
            и флаг над Берлином.
    Я в случае данном,
        под прошлым имею в виду
    забвенье о благе народа,
40   наветы,
            аресты безвинных.
    Мы сеяли честно.
    Мы честно варили металл
    и честно шагали мы,
45   строясь в солдатские цепи.
    А он нас боялся.
        Он, веря в великую цель, не считал,
    что средства,
        должны быть достойны
50   величия цели.
    Он был дальновиден.
        В законах борьбы умудрён,
    наследников многих на шаре земной он оставил.
    Мне чудится,
55   будто поставлен к гробу телефон;

Энверу Ходжа
     сообщает свои указания Сталин.
Куда ещё тянется провод из гроба того?
Нет, — Сталин не сдался.
60   Считает он смерть —
          поправимостью.
Мы вынесли
     из Мавзолея
         его.
65 Но как из наследников Сталина
     Сталина вынести?!
Иные наследники розы в отставке стригут,
а втайне считают,
     что временна эта отставка.
70 Иные,
     и Сталина даже ругают с трибун,
а сами
     ночами
         тоскуют о времени старом.
75 Наследников Сталина, видно, сегодня не зря
хватают инфаркты.
   •   Им, бывшим когда-то опорами,
не нравится время,
     в котором пусты лагеря,
80 а залы, где слушают люди стихи, —
     переполнены.
Велела
     не быть успокоенным
         Партия мне.
85 Пусть кто-то твердит:
     «Успокойся!» — спокойным я быть
         не сумею.
Покуда наследники Сталина есть на земле,
мне будет казаться,
90   что Сталин ещё в Мавзолее.

1962

АНДРЕЙ ВОЗНЕСЕНСКИЙ

—

ПОСЛЕДНЯЯ ЭЛЕКТРИЧКА

В вагóне спят рабóчие.
Вагóн во влáсти сна.
А в тáмбуре бормóчет
Нетрéзвая струнá.

5 И как-то получúлось,
Что я читáл стихú
Междý тенéй плечúстых,
Окýрков, шелухú.

У них своú ремёсла.
10 А я читáю им,
Как дéвочка примёрзла
К окóшкам ледянýм.

На чёрта им девчóнка
И рифм ассортимéнт?
15 Такúм, как эта — с чёлкой
И пýдрой в сантимéтр?!

Стоúшь — зрачкú пустýе.
На блýзке вúдит взгляд
Всю дактилоскопúю
20 Малáховских ребýт...

Но, мóжет быть, поэзия
Действúтельно сильнéй,
Чем брúтвенные лéзвия,
Чем выбшивка парнéй?

25 Но, мóжет, всё же сéрдце
Оснóва бытиý, —

Когда́, срыва́я се́рьги,
Ты пла́чешь в три ручья́?

И вдруг из электри́чки,
30 Ошеломи́в ваго́н,
Ты
    чи́ще
        Беатри́че
Сбега́ешь на перро́н.

БАЛЛАДА 41-го ГОДА

Роя́ль вполза́л в каменоло́мню.
Его́ тащи́ли на дрова́,
К замёрзшим чана́м и поло́вням.
Он ждал уда́ра топора́.

5 Он был без но́жек, чёрный я́щик,
Лежа́л на брю́хе и гуде́л,
Он тяжело́ дыша́л, как я́щер
В пеще́рном ка́пище люде́й.

А па́льцы вспу́хшие але́ли —
На ле́вой два, на пра́вой пять...
10 Он
    опуска́лся
           на коле́ни,
Чтобы до кла́вишей доста́ть.

Семь па́льцев бы́вшего завклу́ба!
15 И, обморо́женно-суха́,
С них, как с разва́ренного клу́бня,
Дымя́сь, сполза́ла шелуха́.

Металась пламенем сполошным
Их красота, их божество...
20 Казалось вымыслом и ложью
Всё, что игралось до него!

Все отраженья люстр, колонны...
Во мне ревёт рояля сталь.
И я лежу в каменоломне.
25 И я огромен, как рояль.

Моё призвание — не тайна.
Я верен участи своей.
Я высшей музыкою стану,
Теплом и хлебом для людей.

СВАДЬБА

Выходит замуж молодость
Не за кого — за что.
Себя ломает молодость
За модное манто.

5 За золотые горы
И в серебре виски.
Эх, да по фарфору
Ходят сапоги!

Где пьют, там и бьют —
10 Чашки, кружки об пол бьют.
Горшки — в черепки,
Молодым под каблуки.
Брызжут чашки на куски:
Чьё-то счастье —
15 В черепки!

И ты в провра́чной ю́бочке,
Юна́, бела́,
Дрожи́шь, как бу́дто рюмочка
На кра́ешке стола́.

20 Улы́бочка, как тре́щинка,
Игра́ет на губа́х,
И тёмные отме́тинки
Слези́нок на щека́х.

Где пьют, там и льют —
25 Слёзы, слёзы, слёзы льют...

NOTES

Poems are referred to by their number, which is followed by the number of the line. Thus 6.8 means Poem No. 6, line 8.

Verbs are normally quoted in the infinitive. If the verb is 'regular' in conjugation (cf. below), it is followed by the symbol *r.*, and if it is irregular, the form of the 3rd person sing. is given as a model for the conjugation. A verb is 'regular' if the 3rd person sing. can be derived from the infinitive, without change of stress, by making one of the following substitutions:

For infinitive ending:	*3rd person sing. ending:*
-ать (**not** -овать)	-ает
-еть	-еет
-ять	-яет
-овать	-ует
-нуть	-нет
-ить	-ит

also (the stress of the infinitive not being maintained)

-овáть	-ýет

The symbol *r★.* indicates that the verb is regular in conjugation but has the stress on the last syllable in the 1ist person sing. and on the stem in the remaining forms, e.g. водúть, *r★.* indicates that the conjugation is вожý, вóдишь, вóдит, вóдим, вóдите, вóдят.

The aspect of the verb is indicated by the symbols *i.* (imperfective) and *p.* (perfective) after the infinitive.

The genitive singular of nouns which have a 'mobile' vowel in declension is indicated, e.g. зрачóк, -чкá means that the genitive singular is зрачкá.

ABBREVIATIONS

abb.	abbreviation	l.	line
acc.	accusative	lit.	literal(ly)
adj.	adjective	masc.	masculine
arch.	archaic	N.	note
cf.	compare	neut.	neuter
coll.	colloquial	nom.	nominative
dat.	dative	p.	page
dial.	dialectal	*p.*	perfective
dim.	diminutive	part.	participle
fem.	feminine	pass.	passive
fig.	figurative(ly)	pl.	plural
Fr.	French	prep.	prepositional
gen.	genitive	*r.*	regular
i.	imperfective	*r**.	regular with stress shift
imper.	imperative	sing.	singular
indec.	indeclinable	tr.	translate(d)
inst.	instrumental	<	derives, deriving from
intrans.	intransitive		

Demyan Bedny

Pseudonym of Yefim Aleksandrovich Pridvorov (1883-1945). A Bolshevik of long standing, he became almost the official poet laureate after the Revolution. He lost popularity after 1936, when he was officially rebuked for his play Богатырú. His verse is pure propaganda, never rising above the level of rhymed journalism, though direct and effective on its own level.

1.1 прогнáвши взáшей: *having thrown out neck and crop.*

1.17 деревýшкам: affectionate dim. <дерéвня.

1.21 Русь: old name for Russia. Россúя was introduced only in the 16th century.

Anna Akhmatova

Pseudonym of Anna Andreyevna Gorenko (*1888). Before the Revolution Akhmatova was one of the leading members of the Acmeist group of writers. She was married to the poet Gumilyov, executed in 1921 for allegedly taking part in an anti-Soviet plot. After 1922 until the beginning of the war she published no poetry. In 1946 she was attacked by Zhdanov for her later work and expelled from the Writers' Union. Since 1950 however her work has been published in periodicals and in 1961 a small edition of her poems was published. Her later poems, like her earlier ones, are concerned primarily with her personal experiences. Despite her long silence, there has been no falling-off in the quality of her work, and together with Mandelshtam, Pasternak and Yesenin she stands in the front rank of Soviet poets.

3 Written in 1917, this poem is Akhmatova's reply to those Russian writers who had emigrated after the Revolution.

4.15 на крéстную мýку: *to the cross.*

5   Written about Leningrad, where Akhmatova has lived most of her life.

6.9   мácляничный вéчер: *a shrove-tide evening*. мácляница 'shrove-tide' was a time of festival in pre-revolutionary Russia.

6.15   подкапрúзовой: a coinage of the author <капрúза. Tr. *winding, capricious*.

7.1   мне... рáти: *I care not for the regiments of odes*. рать (arch.) 'host'.

7.2   элегúческих затéй: an allusion to a line in Pushkin's poem *Евгéний Онéгин* (VI, xliv, l. 10).

8.3   царскосéльский: adj. <Цáрское Селó (now called Пýшкин), a town about 15 miles south of Leningrad with beautiful 18th century parks. (see N. 13)

9.8   лáданно-слáдок: *incense-sweet*.

9.14   нáчата: correct stress is начатá.

9.17   воздýшный налёт: *air-raid*.

11.5   бáховской чакóне: *the chaconne of Bach*.

12.9   как смоль... чёрен: *jet-black*. смоль is only used in this expression.

12.9   нéвский вал: *the embankment of the Neva*. The Neva is the river on which Leningrad stands.

13   *Гóроду Пýшкина* refers to Tsarskoe Selo (see N. 8.3), where Pushkin attended the *lycée*. The school building is now the Pushkin Memorial Museum. Most of the buildings were destroyed during the war, but are now being restored. The quotation from Pushkin is a line of his poem *Чаадáев*.

13.4   громáда: *the huge pile*. Akhmatova is probably referring to the large building of the Summer Palace, which stands in the park.

13.11   лицéйские гúмны... звучáт: *the songs of the lycée still ring out as before with wishes of good health*. Cf. заздрáвный тост 'toast to someone's health'.

13.12   взы́скана: *rewarded*. An arch. meaning of взыскáть.

13.14   за Лéту: *beyond the Lethe*. In Greek mythology a river in Hades over which the souls of the dead passed, gaining forgetfulness.

14   These three poems are written in remembrance of the poet Aleksandr Blok (1880-1921).

14.2   бе́лый дом... Жуко́вской: presumably the house in which Akhmatova lives. у́лица Жуко́вская is a street in Leningrad.

14.7   Рогаче́вское шоссе́: road from Moscow to Rogachevo, a small town about 56 miles to the north.

14.8   Бло́ка: before the Revolution Blok used to spend summer on his family estate at Shakhmatovo, near Rogachevo.

14.17   он: i.e. Blok.

14.17   опя́ть фона́рь: a reference to Blok's poem _Ночь, у́лица, фона́рь, апте́ка._

14.21   Пу́шкинскому До́му: the title of the last poem Blok wrote before his death. It was dedicated to the Пу́шкинский Дом, the Leningrad literary institute.

15.5   на́бок... куполо́к: _a dome which has slipped to one side._ куполо́к dim. <ку́пол.

15.7   отбы́вшая срок: _which has served its time out._

Nikolay Nikolayevich Aseyev (*1889)

Though he began writing before the Revolution, Aseyev did not become well-known as a poet until later. From 1923 he was a leading member of the LEF movement (see introduction). His poetry was greatly influenced by that of Mayakovsky, but is usually simpler and more emotional. In 1941 he was awarded a Stalin prize for the long biographical poem _Маяко́вский начина́ется._

16.1   гиль позабы́тую: acc., is governed by the verbs in l. 3.

16.6   взбежа́вший... тра́пу: _running up the shaking ladder of the sky._

17   _Ле́тнее письмо́_: as regards the verse form see N. 48.

17.11   спу́тавшись на «ты»: the image is that of a girl embarrassed at addressing her lover for the first time by ты.

18   _Вы́стрел с «Авро́ры»_: on October 25, 1917 a shot fired from the cruiser _Avrora_, which was moored in the Neva, and in Bolshevik hands, gave the signal for the attack on the Winter

Palace. The taking of this building completed the downfall of the provisional government and its replacement by the Bolshevik regime.

18.22 здо́рово!: *well done!*

18.26-7 шестиду́ймовка авро́рова: *the Avrora's six-inch gun.*

Boris Leonidovich Pasternak (1890-1960)

A leading member of the Futurists before the Revolution, Pasternak published several collections of verse between 1914 and 1932. After this date, and presumably as a result of hostile pressure he turned to translations, but during the war two new collections of verse appeared. He was attacked again in 1946, and again, in connexion with the publication of *Dr. Zhivago*, in 1958. In 1961 however an edition of his poetry was published, containing poems written up to 1960, although not those from *Dr. Zhivago*.

Pasternak's early poems tend to be complicated and even obscure; his later work is much more simple and direct, although it retains his characteristic unexpected metaphors and similes. He is without doubt one of, if not the greatest, of the poets of the Soviet period.

19.20 под стиио́м: *in a fever.* стих in this sense is usually indec., and found only in the phrase на него́ нашёл стих 'he's in a strange mood'. Here there is a play on the phrase под аре́стом 'under arrest'.

20.1 разрыва́я... как сило́к: *tearing the bushes from itself, like a snare.* The subject is солове́й in l. 4.

20.2 Маргари́тиных... лилове́й: *more purple than Margarita's clenched lips.*

20.3 глазно́й... бело́к: *the whites of Margarita's eyes.*

20.7-8 задыха́ясь... подступа́л: *breathless, it* (i.e. the song) *came like a lump into the throat.* This, and the rest of l. 8, presumably refer to the effect of the song on Margarita.

20.10 к серебру́: perhaps a reference to ртуть in l. 5, meaning the bird and its song.

20.13   у него́: this apparently refers to бор, in the preceding line.

21.1   как бро́шенный... снега́м: *like one led astray into the snow*. The first four stanzas are all comparisons whose subject is Кремль in l. 19.

21.3-4 как по́лем... в ва́ляных: *like one dragging himself along exhaustedly in felt boots through the fields at midnight into the whistling and din*.

21.5   пред концо́м: i.e. before death.

21.9-12 как схва́ченный... в нару́чнях: *like a courier, clutching at the tassels of his hood, who is caught by the cuffs, as if in manacles, by a laughing blizzard, which greets him*.

21.14-15   как при́гнанный... кора́бль: *like a ship, hauled up short on its cable*.

21.20   на ны́нешней... не́нависть: *takes out its hate on the present (winter)*.

21.22   визьоне́ра: *of a mystic*. The normal spelling is визионе́р.

21.23   напроло́м: *stopping at nothing*.

21.24   сквозь... девятна́дцатый: *through the unexpired into the nineteenth (year)*.

21.25   под су́мерки: су́мерки 'twilight', either in the morning or the evening; presumably here the former.

21.28   упу́стит... познако́мится: the subject is он l. 26, i.e. the Kremlin.

21.30   в восемна́дцатом: году́ understood.

21.32   вида́ть... на́сыто: *it's obvious, they haven't yet played to their heart's content*. Cf. нае́сться 'to eat one's fill'.

22.1   так начина́ют... два: *So one begins. At two years old*.

22.4   о тре́тьем го́де: *in the third year*. An arch. use of the preposition.

22.9-11   что де́лать... дете́й: this refers to the superstition that the lilac can cast a spell on people.

22.13-14   как он... досяга́нье: *how can he let a star be beyond his reach*. досяга́нье <досяга́ть (arch.) 'to achieve'.

22.15   Фа́уст: *Faust*.

22.20   я́мбы: *iambics*, i.e. 'poetry'.

22.22   испо́лнься: *fulfil thyself*. A 'high style' variant of the normal imperative <испо́лниться.

23.9 зая́мить: *bury*. A verb coined by Pasternak from the noun
я́ма 'a pit'.

23.12 его́: object of признáвшая.

23.17 Гольфштре́ме: *Gulf Stream*.

24.4 го́ловы задрáв: *raising our heads*.

24.10 мы… причтены́: an adaptation of the phrase: к ли́ку
святы́х причисля́ть 'to canonize'. Tr. *we have become as one
with the pines*.

24.22 разбéги: *tracery*.

24.30-2 свáливаясь… дна: *crashing down from a boulder, they
bring up a hail of shrimps from the disturbed bottom*.

24.33-4 за букси́ром… заря́: *behind the tug-boat sunset is
towed along on floats*.

24.35 ры́бьим жи́ром: *cod-liver oil*.

25.1 я под Москвóю: *I am living outside Moscow*.

25.6 на у́лице ни зги: *pitch-dark outside*.

25.11 надми́рно: *above the world*.

25.15 почтóвый… сóрок: *the mail train or number forty* (a
train).

25.16 я шёл… пять: *I was catching the 6.25*.

25.18 сбирáлись: coll. for собирáлись.

25.40 как заведённые: *as if they'd been wound up*.

25.46 обдавáло: *it smelt of*.

25.48 пря́никами на меду́: *gingerbread made with honey*.

26.4 хоть я … отсю́да: *although I've only been away a day*.

26.8 что… за сатáна: *what kind of devil*.

26.21 Снегу́рка: *Snow Maiden*.

26.23 без у́молку: *unceasingly*.

26.24 болтуна́: presumably refers to ручéй in l. 12.

27 *Победи́тель*: Leningrad was beseiged by the Germans
from September 1941 to January 1944.

27.3 навстрéчу нам… пéрли: *we were shouted down and
pressed to the wall*.

28.1 недотрóга… в быту́: *reserved and quiet in ordinary life*.

28.17 пóшло: neut. short form <пóшлый.

29.17-18 и полусóнным… на цифербла́те: *the sleepy hands
are too lazy to move round the dial*.

Ilya Grigoryevich Erenburg (*1891)

Erenburg is better known as a journalist and novelist than as a poet, and in both of these fields he has been not only prolific but also extremely adroit in following changes in official policy. Although his poetry is little known, it is intelligent and pleasantly free from the propaganda excesses which mar his other works. In form he is more traditional than most of his contemporaries. Erenburg has a very good knowledge of Western life and culture and, as can be seen from these poems, a real fondness for some aspects of it.

30 Бой быков: The Bull-fight.

30.7 хламиды: lit. *chlamys*; it refers to the red cape used by bull-fighters.

31.1 камельи: the usual form is камелия.

31.2 Расина: Racine, the French playwright.

31.12 летейских водах: *the waters of Lethe*. See N. 13.14.

31.15 путевые сборы: *preparations for travel*.

32.14 Пракситель: Praxiteles, a Greek sculptor.

32.16 Лувре: the Louvre.

32.17 безрукая: the statue of Venus di Milo, which stands in the Louvre.

32.19 Глеб Успенский: a leading Russian realist author of the late 19th century. He visited Paris in 1871.

32.20 Гейне: Heine, the German poet. Erenburg appears to have made a mistake here. It was Heine who wept on taking leave of the Venus di Milo (see *Nachwort zum Romanzero*).

32.20 не те: *wrong*. Cf. NN. 36.21 and 92.4.

Osip Emilyevich Mandelshtam (1892-1942?)

Like Akhmatova, Mandelshtam belonged to the Acmeist group of writers. He published three slim collections of poems between 1913 and 1928. In the 1930's he was deported by the Stalin regime to Siberia — according to one account, because of an epigram directed at Stalin — and died in a labour camp during the war. As yet his poems have not been reprinted in the Soviet Union.

Despite Mandelshtam's small output, the quality of his poetry is second only to that of Pasternak's, and he is perhaps esteemed even more than the latter by the more advanced young Soviet poets. His verse is sophisticated and difficult. In form it is predominantly classical, marked by restraint and a cold, sparkling brilliancy.

34 This poem was written just after the Revolution, when conditions in Leningrad were extremely grim.

34.4 Петрóполь: *Petropolis*. A variation of the name Petrograd, as Leningrad was called from 1914-1924. Before the first world war its name was St. Petersburg.

35.3 «мир»: possibly Mandelshtam has both the meanings 'peace' and 'society' in mind.

35.11 амфóрах: the usual stress is áмфора.

35.13 Успéнский: *the Cathedral of the Assumption*. This, and those mentioned in ll. 15 and 17 are cathedrals in the Kremlin.

35.15 Благовéщенский: *the Cathedral of the Annunciation*.

35.17 Архáнгельский: *the Cathedral of the Archangel Michael*.

35.17 Воскресéнья: *the Cathedral of the Resurrection*. There is no cathedral of this name in the Kremlin. Perhaps Mandelshtam is thinking of the цéрковь Вознесéнья 'the Church of the Ascension', or of the цéрковь Воскресéнья Лáзаря 'the Church of the Raising of Lazarus', which still exists as the basement of the цéрковь Рождествá Богорóдицы ('the Church of the Birth of the Virgin Mother'), and which is the oldest building in the Kremlin.

36.2 тенéй: *shades*, i.e. presumably of the dead.

36.3 прозрáчными: here *insubstantial*.

36.4 песнь: arch. for пéсня.

36.8 беспáмятствует слóво: *the word has been forgotten*.

36.9 растёт: the subject of this verb, and of the two others in this stanza is presumably слóво understood.

36.10 Антигóной: Antigone, daughter of Oedipus, who accompanied her father into exile.

36.12 стигийской: *Stygian*. <Styx, in Greek mythology a river in Hades, and hence meaning 'infernal'.

36.14 вы́пуклую: *vivid*. The usual meaning is 'protuberant'.

36.15 Аони́д: *the Aonides*, i.e. the Muses.

36.21 не о том: *about the wrong thing*. Cf. NN. 32.20, 92.4.

36.21 прозра́чная: presumably understand мысль.

37.3 акро́поле: *Acropolis*.

37.5 ахе́йские: *Achaean*, i.e. 'Greek'. This line refers to the building of the Trojan horse.

37.5 мужи́: arch. pl. of муж in the sense of 'a full-grown man'; cf. муж, pl. мужья́ 'husband'.

37.17 Тро́я: *Troy*.

37.18 Приа́мов: *of Priam* (adj.). Priam was king of Troy at the time of its destruction.

38.3 от ре́вности: *against jealousy*. Cf. лека́рство от ка́шель 'cough-medecine'.

38.15-16 на ди́кую... кровь: *a wild strange blood has been substituted for mine*.

39.4 Аони́д: see N. 36.15.

39.9 эли́зиум: *Elysium*.

40.2 звезда́ми: correct stress is звёздами.

40.5 ворота́: this stress is coll.

40.7 чи́ще: this agrees with осно́ва in l. 8.

41.8 фриги́йской ба́бушкой: *the Phrygian grandmother*. Called thus with reference to the conical 'Phrygian' cap, a symbol of liberty adopted during the French Revolution.

41.13 кли́чки... дава́ли: a reference to the re-naming of the months during the French Revolution.

41.15 а подрасту́т... два: *and if they grow up, then perhaps for two years*. When е́сли is omitted from a conditional clause, the subject and verb are inverted.

42.5 кто ве́ку... ве́ки: *who has raised the ailing eyelids of the age*. Distinguish ве́ко pl. ве́ки 'eyelid' from век pl. века́ 'age', 'century'.

42.6 я́блока: *eyeballs*.

42.11 мле́ющей руке́: *the numb hand*.

42.16 гу́бы: object of залью́т.

42.43 хлещет паром: *whips with a jet of steam.*

42.46 не обессудь: *don't judge me too harshly.* <обессудить now only used in this expression.

42.48 щучьего суда: *the law of the pike,* presumably in the sense of 'the survival of the fittest'.

42.49 аптечная малина: *the crimson of the chemist's shop.*

42.51 на пол-аршина: *half an arshin deep.* аршин: an old measurement of length, about 28 inches.

42.53 небо козье: perhaps a reference to the constellation of Capricorn.

42.59 сонатинкой: dim. <сонатина.

42.61-4 ужели я... до слёз: *surely I will not betray to shameful slander ... my wondrous oath to the fourth estate and my vows great unto tears.*

43.7 гостиного двора: a large shopping arcade on the Nevsky Prospekt in St. Petersburg. Now houses a department store.

43.9 кофий: *coffee.* Coll. variant of the correct кофе.

43.14 Нив: the *Niva* was a pre-revolutionary illustrated magazine.

44.4 Франсуа: *François.*

44.6 ручаюсь головой: *I stake my life.*

44.15 холодным шагом: *with measured stride.*

44.16 я сохранил... мою: *I can still stay the distance.*

Vladimir Vladimirovich Mayakovsky (1893-1930)

Mayakovsky became known before the Revolution as a leading Futurist poet. After 1917 he devoted himself completely to the Bolshevik cause, writing propaganda verses and designing posters. Yet at the same time he remained a firm believer in Futurism and in 1923 was one of the founders of LEF (see introduction). But Futurism came more and more under pressure from orthodox Communist critics, and Mayakovsky himself was sharply attacked. Disillusioned in the Revolution, and unhappy in his private life, he committed suicide in 1930.

Mayakovsky's pre-revolutionary poems, which are mainly personal in content, are on the whole superior to those he wrote after 1917. There is no doubt too that his reputation as a poet has been grossly inflated in the Soviet Union. Yet in the later poems the propaganda element is often redeemed by Mayakovsky's robust humour and his startling poetic technique.

45.3-6   An attempt to represent the sound of the horse's hoofs.

45.7   ветром опьіта: *drunk with wind*.

45.14   штаны... клёшить: *with their trousers billowing out across the Kuznetsky*. Кузнéцкий мост: a street in Moscow. клёшить: a word coined by the poet <брю́ки-клёш (French *cloche*): 'bell-bottomed trousers'.

45.21   ему́: refers to Кузнéцкий in l. 19.

45.28   за ка́плищей ка́плища: *drop after drop*. ка́плища 'a large drop' <ка́пля. This suffix is correctly -ище and forms a neuter noun: cf. городи́ще <го́род.

45.37   чего́: *why*.

45.37   пло́ше: *worse*. Coll. comparative form <плохóй instead of the correct ху́же.

45.49   ржану́ла: *neighed*. A semelfactive verb formed by Mayakovsky <ржать, ржёт 'to neigh'.

46.1   тебé: i.e. the Revolution.

46.7   над ру́ганью рéемой: *above the hurled abuse*. рéемый is presumably a pres. pass. part. <рéять: 'to hover', and (arch.) 'to push'.

46.10-13   револю́ция is understood.

46.12   копéечная: *good-for-nothing*.

46.15   как обернёшься: *how will you turn out*.

46.29   взрыва́ют... Кремля́: the Kremlin in Moscow was bombarded by the Bolsheviks during the Revolution.

46.30-2   «Сла́ва»... тóнок: in September 1917 the Russian fleet was sent out to prevent the Germans landing in the Gulf of Riga. It was defeated and the cruiser *Slava* sunk.

46.40   ус... в фóрсе: *the rakish moustache is swaggeringly curled*.

46.43   Гельсингфóрсе: *Helsingfors* (Helsinki). A Russian naval base (Finland formed part of the Russian empire until 1918), where in September 1917 the sailors of the battleship *Petropavlovsk* mutinied and killed their officers.

46.46 тебé обывáтельское: understand e.g. слóво. тебé refers to the Revolution. обывáтельский <обывáтель originally meaning 'inhabitant', but now having the pejorative sense of 'Philistine', 'bourgeois'. Cf N. 94.13.

46.48-9 моё поэ́тово: *my poet's reply*. See previous note.

47.3 грéков трúста: a reference to the battle of Thermopylae.

47.10 у истóрии в пы́лях: *in the dusts of history*.

47.14 Фермопúлах: *Thermopylae*.

47.15 лез на рожóн: *put their heads into a noose*. лезть на рожóн: 'to do something involving great risk'. рожóн: 'a pointed stick'. For another dial. use of this word see N. 57.62.

47.19 пáвших от: understand мечéй.

47.20-1 петь нас: *to sing about us*. The use of a direct object without a preposition is arch. in this sense.

47.23 не сдавáясь... год: *fighting for a year without yielding*. The poem was written in 1919 to commemorate the anniversary of the collaboration of the Futurists in the People's Commissariat of Education (Наркомпрóс).

47.39-41 им... в овчúну: *from fear do they want (to wrap up) the sky in a sheepskin?* Understand e.g. завернýть.

48 Mayakovsky wrote his poems to be declaimed aloud and introduced this manner of setting them out to reproduce the effect given by an oral rendering. It has been imitated, with considerably less justification, by other Soviet poets — see poems by Aseyev and Yevtushenko in this collection.

48.2 объясня́ться лúшне: *there's nothing more to explain*.

48.7-10 жилúщный... кооператúв: *my workers' housing cooperative*. Housing cooperatives were widespread in the Soviet Union during the late 20's and early 30's, but were taken over by the State in 1935.

48.11-12 во — ширинá! высотá — во!: *what width! what height!*

48.24 земля́ обетóванная: *the Promised Land*.

48.38 пот пор: *(wash) the sweat of the pores*. мыть is understood. Distinguish пóра 'pore' from порá 'time'.

48.57 захва́тывает дых: *it takes your breath away.* The correct form is дух.

48.62 булты́х: *splash!* булты́х is one of a small group of verbal interjections, which are used to describe swift, momentary actions in the past.

48.72 не́ту: coll. for нет.

48.76 десятиле́тнего ста́жа: *is of ten years' standing.* стаж 'length of service'.

48.83 разжа́ришься уж: *how you will broil yourself.*

48.85 верта́й: *turn.* <верта́ть coll. for верте́ть.

48.109 про́бковым ма́том: a pun on the two meanings of мат 'a mat' and 'obscene language'.

48.111 впра́вленное: *built-in.* <впра́вить: 'to insert'.

48.114 влавь: *climb into.* <вла́зить coll. for влеза́ть.

49 *Евпато́рия*: a popular resort in the Crimea, on the shores of the Black Sea. Mayakovsky was there from July to August 1928.

49.8 евпатори́йскую: *Evpatorian.* Throughout this poem Mayakovsky uses the Futurist device of forming neologisms by the use of common Russian suffixes. Here cf. росси́йский 'Russian'.

49.10 пля́жем: *on the beach.* An uncommon use of the inst. In this sense it is used almost exclusively with verbs of motion. Cf. е́хать бе́регом 'to ride along the beach'.

49.13 евпатори́йцами: *Evpatorians.* Cf. сири́ец, -и́йца 'a Syrian'.

49.18 евпатори́йки: *female Evpatorians.* Cf. сири́йка 'a Syrian woman'.

49.21 кара́имы: *Karaites.* The Karaim are a people living in the Crimea, particularly around Evpatoria, and in Lithuania. Nowadays thay have become almost completely assimilated with the Russians.

49.22 евпаторья́ки: *Evpatorians.* Cf. сибиря́к 'a Siberian'.

49.26 евпаторья́не: *Evpatorians.* Cf. крестья́нин, pl. кресть-я́не 'peasant'.

49.30 евпаторёнки: *young Evpatorians.* Cf. львёнок 'lion-cub'. If Mayakovsky were keeping strictly to the rules, the pl. would be евпаторя́та.

49.35 евпаторя́чьи: *Evpatorian.* Cf. челове́чий 'human'.

49.36 пуд: an old Russian measure of weight, about 36 lbs.

49.39 евпато́рство: *Evpatorianism.* Cf. нова́торство 'innovation'.

50 This poem was written as a result of Mayakovsky's last visit to France, in the spring of 1929.

50.1-3 я во́лком... бюрократи́зм: *like a wolf I would eat up bureaucracy.*

50.5 почте́ния не́ту: *I have no respect for.* See N. 48.72.

50.6-9 к любы́м... бума́жку: *all red-tape can go to hell.* Mayakovsky's individual variation of the phrase к чёртовой ма́тери 'go to hell'.

50.10 но э́ту: *but this (on the other hand).* Understand бума́жку.

50.29-30 с двухспа́льным... лёвою: *with the double sleepy little English lion.* A play on words; Лёва is a dim. of the Christian name Лев, not of the noun лев 'lion'. Mayakovsky apparently imagines that there are two lions on the English coat-of-arms.

50.43 выпя́ливают глаза́: *stare* (coll.).

50.44-5 в туго́й... слоно́вости: *with the stiff elephantishness of a policeman.* слоно́вость <слон 'elephant', a coinage of Mayakovsky's.

50.63-5 рот... господи́ну: *the gentleman's mouth grimaced.* An impersonal construction; рот is acc.

50.70 паспорти́ну: *huge passport.* -ина is a common augmentative suffix.

50.78-81 грему́чую... двухметроворо́стую: *a rattlesnake two metres long with twenty fangs.*

50.85-6 хоть ве́щи... вам: *he'll even carry your bags for nothing.*

50.95 ра́спят: correct stress is распя́т.

50.98-9 молотка́стый, серпа́стый: adjectives coined by Mayakovsky from the nouns мо́лот 'hammer' and серп 'sickle'. A crossed hammer and sickle is the emblem of the Soviet Union.

50.114-5 дублика́том... гру́за: *as the duplicate of a priceless load.*

The son of a peasant family, Yesenin came to Moscow in 1912. His first book of poems was published in 1914, and his early poetry shows the influence of the symbolists Blok and Bely. He welcomed the Revolution, hoping that it would improve the existence of the peasants, but soon became disillusioned. In 1919 he joined the group of Moscow Imaginist poets and took part in their life of tavern 'hooliganism.' In 1923 he married the dancer Isadora Duncan and went abroad with her. They soon separated however and he returned to Russia, where he committed suicide in December 1925.

Yesenin's best poems are his sweet and simple lyrics, full of nostalgia and extremely melodious. They have made him the most popular poet of his time, not only in the Soviet Union, but also among Russian émigrés. Although he adopts a rather self-conscious pose in his 'tavern' poems, the best of them contain a powerful and bitter self-analysis.

51.3   си́ни: an imitation of folk-poetry style. The short form of the adj. cannot now be used attributively.

51.6   ей... примечта́лось: *it dreamt.*

52.5   злато́е: *golden.* Arch. or 'high style' for золото́й.

52.8   слу́жит вече́рню: *is singing evensong.*

53.17   вабре́зжи... кувши́н: *let the pitcher of the moon shine out, night.* вабре́зжить <бре́зжить 'to glimmer'.

53.31   на ка́торге: *in the penal camp.* ка́торга, now only coll., was in Tsarist Russia the general term for the system of penal servitude in Siberia.

53.33   ветр: 'high style' for ве́тер.

54.9   бродя́жий: *vagrant.* <бродя́га 'tramp'.

55   This poem is the first of the cycle *Москва́ каба́цкая* 'Tavern Moscow'.

55.9   вя́зевый: *intricate.* <вязь an old Russian style of writing in which the letters were intertwined.

55.18   всю ночь напролёт: *all night through.*

55.20 жа́рю спирт: *I soak myself in drink.* жа́рить besides its primary meaning of 'to roast', can also mean 'to do something violently, or to excess'.

56.2 мо́розь: *drizzle.* Dial.; a more usual form is мо́рось < мороси́ть 'to drizzle'.

56.3 ряза́нское: *of Ryazan.* A province to the south-east of Moscow; also the name of the town which is its centre. Konstantinovo, the village in which Yese'nin was born, is in this province.

56.11 то́чит: the subject is червь in l. 12.

56.27 смири́тельную руба́шку: *strait-jacket.*

56.39 я отсканда́лил: *I have finished brawling.*

56.41 под мики́тки... рожь: *to thrash the rye in the stomàch.* мики́тки (coll.) 'stomach'.

57 *Русь сове́тская:* see N. 1.21.

57.1 тот урага́н: i.e. the Revolution and Civil War.

57.27 пи́йта: *poet.* пийт is an arch. form.

57.41 воскре́сные сельча́не: *the villagers in their Sunday-best.*

57.42 во́лости: *the village-hall.* во́лость: a territorial and administrative unit in Russia; in popular usage also the building in which the meetings of the district council took place. The term is no longer used.

57.44 жись: dial. for жизнь.

57.47 бо́сые: correct form is босо́й.

57.49 красноарме́ец: *soldier.* < Кра́сная а́рмия the original name of the Soviet Army.

57.51 Будённом: Semyon Mikhaylovich Budyonny (*1883) formed the cavalry division of the Red Army in 1919. During the Civil War it played a great part in defeating the White Armies, and especially that of Vrangel in the Crimea.

57.52 как кра́сные... Переко́п: *how the Red Army retook Perekop.* кра́сные: see N. 57.49. Переко́п: a town on the isthmus between the Crimea and the mainland. The scene of fierce fighting during the Civil War.

57.53-4 «уж мы... э́нтого»: *we really gave it to him — this way and that way,—that bourgeois.* э́нтого: coll. for э́того.

57.57 крестья́нский комсомо́л: *the peasant Young Communists.* комсомо́л abb. for Коммунисти́ческий сою́з молодёжи.

57.58 под гармо́нику: *to the music of an accordion.*

57.59 аги́тки Бе́дного Демья́на: *the propaganda poems of Demyan Bedny.* A rather cruel pun on the poet's pseudonym.

57.60 оглаша́я дол: *filling the valley.*

57.62-3 како́го ж... ора́л: *why the devil did I shout.* A dial. phrase; рожна́ < рожо́н; see N. 47.15.

57.71 прие́млю: < приима́ть arch. for принима́ть.

57.73 по вы́битым следа́м: *along already trodden paths.*

57.74 октябрю́ и ма́ю: a reference to the two main Soviet holidays: the anniversary of the October Revolution (November 6th) and the 1st May.

58.3 не в ладу́: *out of harmony.*

59.3 Дон-Жуа́на: *Don Juan.*

Eduard Bagritsky

Pseudonym of Eduard Georgevich Dzyubin (1895-1934). Bagritsky was a native of Odessa, which produced a number of outstanding writers during the early twenties (others include Babel, Olesha and Katayev). He took part in the Civil War as a Soviet partisan, and embodied his experiences in his best-known work, the long epic poem *Ду́ма об Опана́се.* This, though formerly considered a masterpiece by Soviet critics, is irritating in its imitation of the style and naive simplicity of folk-poetry. Bagritsky's other poems show a much more original and personal talent. He seems to have no affinities with any other Soviet poet. Although a member of the Constructivist group (see introduction), his poetry has nothing in common with their programme. His poetry is obviously basically that of a romantic, and in this respect he can perhaps be compared to Tikhonov.

60.10 над про́рвою медве́жьей: *above the gap in the Great Bear.*

60.11 в кула́к разме́ром: *the size of a fist.*

60.22 сло́вно... зна́ки: *gleaming like ships' beacons.*

60.35　вологóдских: adj. <Вóлогда, a town in North Russia.

60.44　в гóру... под гóру: *uphill ... downhill.*

60.61　собáка стáла: *the dog has stopped barking.*

60.63　под Москвóю: see N. 25.1.

61.2　пробрáл... зуд: *I first felt the itch of future life.*

61.7　краснобóкий язь: *red-sided ide.* A fish rather like a carp.

61.9　лезвия́: <лезвиё; the correct stress is лéзвие.

61.18　в упóр: *point-blank.*

61.19　вратá: *gates.* Arch. for ворóта.

61.29　свора́чивалась: *formed itself into a ball.*

61.30　лезвиё: see N. 61.9.

61.38　бытиё: this stress is coll., correct is бытие́.

61.48　дики́: correct stress is ди́ки.

61.55　вопиéт: *cries out.* <вопия́ть arch.

61.73　наплевáть: *I don't give a damn.*

62.5　в... костю́ме: as a young man, Mayakovsky attracted attention to himself by wearing a yellow jacket.

62.15　вытя́гиваются во фронт: *stand to attention.*

63.25　Дальни́цкой: on the shores of the Black Sea, not far from Odessa.

63.32-3　обернётся па́русом... перó: *the paper has become a sail, and my pen has grown into a mast.*

Nikolay Semyonovich Tikhonov (*1896)

Tikhonov fought both in the first World War as a volunteer, and in the Civil War in the Red Army. His first book of poems *Ордá* (1922) has war as its principal theme. In these poems Tikhonov emerges as a romantic realist, fascinated by heroism. His language is simple, and his verse has a harsh metallic ring. In some ways these poems are reminiscent of those of Kipling. Later Tikhonov went through a period of experimentation, during which his verse became complicated and obscure. However, it gained in breadth and brilliancy of technique, and Tikhonov became the first purely Soviet poet (i.e. one who had written nothing prior to the Revolution) to stand comparison with

Pasternak and Mandelshtam. In the 30's he reverted to the simplicity of his former work, but with a lamentable falling-off in quality and since then he has produced nothing to rival his work of the 20's.

64.6   циклóпью: *Cyclopean.*

64.9   Циклóпом: *the Cyclops.*

64.9   мáльчик с канарéйку: *a lad the size of a canary.*

64.11   удáрную... змéйку: *he tries to catch the firing-cord by the end.*

65.7   клáнялись в нóги: *bowed to the ground.* The subject is мостьі́.

66.4   запёкшиеся гýбы: *parched lips.*

66.5   крылáми: arch. pl. form; correct is крьілья.

68.10   Сванéтия: a mountainous and isolated district in north-west Georgia.

69.8   горя́нки той: *of that mountain woman.*

70.1   без причёски: *with your hair not done.*

70.7-8   сéрдце... идтѝ: *the heart can't grow less.*

Ilya Lvovich Selvinsky (*1899)

Selvinsky began to publish his poems in 1926, and soon became the acknowledged leader of the Constructivist movement (see introduction). His early poetry is interesting — it is highly complex and uses typographical innovations to convey its rhythmic structure. Unfortunately it is predominantly narrative, and consists of long poems, described as novels in verse, such as *Уляляев-щина* (1927), dealing with partisan movements in Eastern Russia, and *Пуштóрг* (the Fur Trade) (1929). Selvinsky's favourite themes are life in Siberia, or in the Soviet Far East. His lyric poetry on the other hand is disappointing: while it can be amusing, it never rises above the mediocre. As with so many Soviet writers, the quality of Selvinsky's work has declined steadily over the years.

71   *Бéлый песéц: white fox.*

71.21   скóлько...мук: *how many ordeals have we undergone.*

71.22 ско́лько... сме́ха: *how much laughter have we enjoyed.*

71.23 невзы́сканные судьбо́й: *unharmed by fate.* <взыска́ть 'to penalize'.

72.9 э́дак: coll. for э́так.

72.28 Зи́мнего дворца́: *Winter Palace.* See N. 18.

72.33 слу́жба кро́ви: the name by which the blood tranfusion service was referred to in the Soviet Army.

73.5 ладо́шек: *palms.* An affectionate dim. <ладо́нь.

74.13 как бы... насма́рку: *seems to lose its meaning.*

74.14-15 да́же золото́й... ма́рку: *even the gold being changed into pounds and marks.* золото́й here used as a noun, meaning 'gold coin'.

Nikolay Alekseyevich Zabolotsky (1903-1958)

Zabolotsky's first collection of poems, *Столбцы́* (1929), a strange mixture of fantasy and realism, caused a minor literary scandal in the Soviet Union. His 'case' was discussed in newspapers, and as a result he disappeared from literature for some time. He is even supposed to have spent some years in a labour camp in the late 30's. In 1948 and 1957 however collections of his later, more orthodox poems appeared and in 1961 some unpublished works were printed in the literary miscellany *Тару́сские страни́цы*.

Zabolotsky's later poems are restrained and classical in style. Their subject is almost invariably the manifestations and workings of nature, which he tends to examine in minute detail. He is also well-known for his translations—especially from the Georgian—and for his verse translation of *Сло́во о Полку́ Иѓореве*.

76.17 на часа́х: *on guard.*

76.28 круто́е молоко́: *boiled milk.*

77.14 те́ней: this stress is arch.; normal is тене́й.

79.5 её: refers to приро́да in l. 1.

79.31 дитя́ти: gen. <дитя́.

Aleksandr Trifonovich Tvardovsky (*1910)

Until the age of 18 Tvardovsky lived in a provincial village. He then became a journalist and in 1930 published his first collection of poems. His two best-known works are both long narrative poems: *Страна́ Мура́вия* (1936), for which he received a Stalin prize, and *Васи́лий Тёркин* (1941-5).

Tvardovsky's poetry is extremely simple. It consists almost exclusively of pictures of peasant life and descriptions of country scenes. In it he skilfully employs the metres and devices of folk-poetry and reproduces the characteristic turns of peasant speech. Its best feature is the poet's obvious sympathy for the peasant way of life, though this often degenerates into sentimentality.

80.15 дух... стук: *the breath-taking noise.*

80.19 след в ёлочку: *a track with a herring-bone pattern.*

80.23 на урожа́йный год: *for a good harvest.* <урожа́й 'harvest'.

80.24 кре́стным хо́дом: *in a religious procession.*

80.25 вы́ше взял: *struck in on a higher note.*

80.27 Интернациона́л: the Internationale; the song, originally written in French, which has been adopted by the Soviet Communist party as its anthem.

82.4 в Финля́ндии: the Soviet Union was at war with Finland from December 1939 to March 1940, while still at peace with Germany.

82.13 с чего́... не приложу́: *for some reason—I don't know what.*

83.8 солона́: fem. short form <солёный.

83.17 внима́я: *hearing.* <внима́ть arch. It is followed by the dat.

84.1 жи́тель бара́чный: *barrack-dweller.*

84.3 колхо́з: *collective farm.* Abb. for коллекти́вное хозя́йство.

84.11 изви́тия ре́чи: *turns of speech.* <изви́ть 'to wind'.

84.16 вро́де... пошло́: *it seems to have really got going.*

Viktor Fyodorovich Bokov (*1914)

Although his poetry has been appearing in periodicals since 1930, Bokov has become well-known only recently. In the 1930's he was a factory worker, and during the war served in the Soviet army.

Bokov's verse, though unassuming, at its best has freshness and charm. The political motive is very rare in his poems, which deal mainly with events and situations in every-day life. Like most of the Soviet poets of his generation his technique is conventional, if not old-fashioned.

85   *Владимир:* a town about 120 miles to the east of Moscow. It contains some of the best examples of Russian church architecture of the 12th and early 13th centuries. The Cathedral of the Assumption has frescoes by, among others, Andrey Rublyov, the most famous of the Russian icon painters.

85.10   клязьминских: adj. <Клязьма, the river on which Vladimir stands.

85.14   святых досо́к: *holy boards*, i.e. icons.

85.17   воро́та Золоты́е: *the Golden Gates*. Built in 1164, these gates stand at the west end of the old town.

85.19   Баты́я: Batu Khan, grandson of Jenghis Khan and founder of the Golden Horde, which overran Eastern Europe in the 13th century. He took Vladimir in 1238.

86.19   автома́ты: here *public telephones*.

87.2   дрём: *ragged-robin*.

87.4   взял но́ты... гром: *the thunder struck in with a bass like Chaliapin's*. Cf. N. 80.25. Chaliapin (1873-1938) was a celebrated Russian bass singer and actor.

89.18   взбудора́жь: *excitement*. <взбудора́жить: 'to excite'.

Konstantin Mikhaylovich Simonov (*1915)

Simonov is better known as a novelist and playwright than as a poet. During the war he worked as a correspondent at the front, and the poems he wrote at this time gained him immense popularity in the Soviet Union. Though highly sentimental, these patriotic poems are nevertheless extremely effective at their own level. Between 1942 and 1950 Simonov was awarded six Stalin prizes.

90   This poem is dedicated to Aleksey Surkov (*1899), a friend and fellow poet, also a correspondent at the front.

90.1   Смоле́нщины: the district around Smolensk in West Russia, which was the scene of bitter fighting in 1941, during the Soviet retreat.

90.6   Госпо́дь вас спаси́: *may the Lord protect you.*

90.8   как... повело́сь: *as was the custom of old.*

90.15   всем ми́ром: here has the meaning of 'village commune'.

90.25   Бори́сов: Borisov, a town in Belorussia.

90.42   жизнь уже́ вся: *my life had come to an end.*

91.22   на поми́н души́: *in memory of my soul.*

91.28   повезло́: *you were lucky.*

Yevgeny Aleksandrovich Yevtushenko (*1933)

Yevtushenko was born near Irkutsk, in Siberia and studied at the Moscow Literary Institute. He enjoys great personal popularity in the Soviet Union — mainly for his love poems — and is well-known in the West for his two poems *Ба́бий Яр* and *Насле́дники Ста́лина.*

Yevtushenko's poetry is interesting in as much as it reflects changes of political opinion in the Soviet Union, but as a poet he is less than mediocre. His verse is superficial and bombastic in content and his technique, though outwardly imitative of Mayakovsky, has none of the latter's brilliancy or invention. It is only fair to add that his best work to date, the long autobiographical poem *Ста́нция Зима́*, is much simpler and more attractive than the rest of his work.

92.4   не те: *the wrong people.* Cf. l. 6 не с те́ми: 'with the wrong people' and l. 11 совсе́м не та: 'completely the wrong girl'.

92.22-3   наме́тит... себе́: *will set her sights on.*

94 *Бáбий Яр:* a ravine near Kiev where thousands of Je w killed by the Germans on the Day of Atonement, 1942 are buried.

94.11 Дрéйфус: Dreyfus, a Jewish French army officer who in 1894 was wrongly accused and convicted of betraying military secrets to the Germans.

94.13 мещáнство: *petty bourgeoisie.* In Tsarist Russia the class of society consisting of small shopkeepers, minor officials etc. In Soviet Russian it has become a pejorative expression and extended to mean reactionaries or Philistinism in general. Cf. N. 46.46.

94.15 за решёткой: *in prison.*

94.20 с брюссéльскими обóрками: *in frills of Brussels lace.*

94.23 Белостóке: Bialystok, a town in North-East Poland, part of Russia before the first World War. An extremely violent pogrom took place there on the 1-3 June 1906.

94.30 жидóв: pejorative for 'Jews'.

94.37 бряцáли: *made free with,* literally 'rattled'.

94.40 жилочкой не дрóгнув: *without turning a hair.* жилочка dim. <жила 'vein'.

94.41 нареклй: <нарéчь arch. 'to title'.

94.42 Соíозом рýсского нарóда: an extreme right-wing, anti-semitic organisation set up during the 1905 revolution in Russia.

94.44 Анна Франк: Anne Frank, a young Dutch girl, who died in a concentration camp, after having lived for a long time in hiding. She became known through the publication of her diary.

94.65 ледохóд: *the moving ice;* the breaking-up and moving of ice on Russian rivers in the spring.

94.82 Интернационáл: see N. 80.27.

95 *Наслéдники Стáлина:* the poem was written after the removal of Stalin's body from the Mausoleum on the Red Square in Moscow.

95.4 на ветрý бронзовéя: *becoming bronzed in the wind.*

95.19 рязáнских и кýрских: *from Ryazan and Kursk.* For Ryazan see N. 56.3. Kursk: a large town about 300 miles south of Moscow; also the district of which it is the centre.

95.34 Турксиб: abb. for the Turkestan-Siberian railway, completed in 1930.

95.35 Магнитка: a large iron and steel plant built from 1929-33 at Magnitogorsk, on the River Ural.

95.36 флаг над Берлином: refers to the capture of Berlin by the Soviet Army in May 1945. Yevtushenko considers these three things to be the greatest achievements of the Soviet Union.

95.56 Энверу Ходжа: Enver Hoxha, the Stalinist dictator of Albania.

95.60-1 считает... поправимостью: *he thinks that death can be corrected.*

95.76 инфаркты: *strokes.*

95.79 лагеря: *labour-camps.* The full title is лагерь принудительного труда.

Andrey Andreyevich Voznesensky (*1934)

Voznesensky has so far published only three extremely short collections of poems, but nevertheless is recognized to be one of the most interesting of the younger generation of Soviet poets. Although the content of his verse is sometimes brash and superficial, it is never boring and is almost completely free from propaganda. His technique is brilliant. He delights in extravagant metaphors and unexpected rhymes. He seems to be the only young Soviet poet to have profited from the lessons of the Futurists.

96.3-4 бормочет... струна: *a drunken guitar is strummed.*

96.13 на чёрта им: *what the devil do they care for.*

96.15 таким: agrees with им in l. 13.

96.16 пудрой в сантиметр: *with powder a centimetre thick.*

96.19-20 всю дактилоскопию... ребят: *all the fingerprints of the Malakhovka boys.* малаховский adj. <Малаховка: a settlement about 17 miles outside Moscow, containing a large proportion of Jews. On October 4th 1959 the local synagogue and house of the caretaker of the Jewish cemetery were burned down and the caretaker's wife strangled. This was the climax to a long series of anti-semitic incidents brought about by local hooligans.

96.28 пла́чешь в три ручья́: *you shed floods of tears.*

96.33 Беатри́че: Beatrice was the woman celebrated by Dante in his *Divine Comedy*.

97.2 на дрова́: *for firewood.*

97.3 поло́вням: *boards.* поло́вня (dial.) usually means 'barn'.

97.14 завклу́ба: abb. for заве́дующий клу́бом, the person in charge of a cultural club in the Soviet Union.

97.15 обморо́женно-суха́: *dry with frost-bite.* <обморо́зить 'to get frost-bite'.

97.18 споло́шным: *flashing.* Adj. <споло́х 'flash'.

98.3 себя́ лома́ет: *will do anything for.*

98.6 виски́: *whisky.*

VOCABULARY

The Vocabulary contains the more difficult words which are not covered in the Notes. The meanings given are those which best fit the words in the contexts in which they appear in the texts, and in some cases other, more important, or more common, meanings may be omitted. The Vocabulary should therefore be regarded only as a guide to the present texts.

Past participles passive are usually not given separately if the verb from which they come is already included. Adverbs formed from adjectives are not given if the adjectival form is included. The spelling of the ending of words in -ие (-ье) is that accepted in Modern Russian and may differ from that used in the text.

Abbreviations and conventions used are explained on pp. 124-5.

А

абажу́р, lampshade
автома́т, slot-machine
але́ть, r., i., to redden, glow
а́лый, red, scarlet
амазо́нка, Amazon
амбразу́ра, embrasure
а́мфора, amphora
апте́ка, chemist's (shop)
апте́чный, chemist's (adj.)
ау́л, village
афи́ша, placard, bill
ах, ah!

Б

бальзами́н, balsam
ба́нковский, banking
бара́нка, ring-shaped roll of bread
бара́чный, barrack
ба́рский, lordly, aristocratic
башлы́к, hood
ба́шня, tower
бегова́я доро́жка, race-track
безде́льник, idler
безмо́лвие, silence
безыску́сный, artless
белёный, whitewashed
берёза, birch
берёзовый, birch (adj.)
бере́чь, бережёт, i., to take care
    of, treasure
берло́га, den, lair
беспло́дный, barren, fruitless

беспу́тный, dissolute
бессме́ртник, immortelle (flower)
бестолко́вый, confused, muddled
бе́столочь, confusion
бесчи́нствовать, r., i., to riot
бесшаба́шный, reckless, carefree
бето́н, concrete
бе́шеный, violent, frenzied
би́тва, battle
би́ться, бьётся, i., to beat, throb
благогове́йно, reverentially
благода́ть, satisfaction, blessing
благо́й, good, happy
благослови́ть, r., p., to bless
блаже́нный, blissful, blessed;
    simple-minded
близнецы́, pl., twins
блужда́ть, r., i., to wander
богома́з, icon-painter
боготвори́ть, r., i., to idolize
бое́ц, -йца́, soldier
болтовня́, talk, gossip
болту́н, chatterer
бор, pine forest
боре́ние, struggle
бо́ров, flue
борт, side
босико́м, barefoot
бо́ты, pl., overshoes
бра́га, ale
бреве́нчатый, timbered
бревно́, log
бред, delirium
брешь, breach, gap
бри́тва, razor

бри́твенный, razor (adj.)
бровь, eyebrow
бро́нхи, pl., bronchial tubes
бры́знуть, *r., p.,* to spurt out
брю́хо, belly
бряца́ть, *r., i.,* to rattle
бу́дни, pl., week-days
бу́йный, violent
бу́йство, wildness, violence
букси́р, tug-boat
бултых, splash
булы́жник, cobble-stone
бунтова́ть, *r., i.,* to rebel
бура́н, snow-storm
бурева́л, storm
бу́сина, bead
бу́хта, bay
бушева́ть, *r., i.,* rage
бык, bull
блыбе, the past
быстрина́, rapids
быт, life
бытие́, existence
бы́чий, ox (adj.)

B

вал, bank, shaft
валу́н, boulder
ва́ляный, felt
валя́ться, *r., i.,* to lie about, be scattered about
вари́ть, *r.*, i.,* to boil; found (metal)
вверя́ть, *r., i.,* to entrust
ввинти́ть, *r., p.,* to screw (into)
вдо́вий, widow's
ве́ко, eyelid
вековой, ancient
великоле́пие, splendour

велича́вый, majestic
ве́на, vein
вене́ц, -нца́, wreath
венóк, -нка́, wreath
верблю́жий, camel (adj.)
верста́, verst (1,166 yds)
верста́к, workbench
весть, news
ветвь, branch
ветерóк, -рка́, breeze
ве́тка, branch
ветла́, willow
ве́треный, frivolous
ве́тхий, decrepit, decaying
вече́рня, evensong
ве́шаться, *r., i.,* to hang oneself
ве́шний, spring (adj.)
ве́щий, prophetic
ве́ять, ве́ет, *i.,* to blow, flutter
взаперти́, under lock and key
взапра́вду, really
взасо́с, uninterruptedly
взбаламу́тить, *r., p.,* to agitate
взвива́ться, *r., i.,* to fly up
вздох, sigh
вздува́ться, *r., i.,* to swell out
вздýться, взду́ется, *p.,* perf.
  <вздува́ться
вздыма́ть, *r., i.,* to raise
вздыха́ть, *r., i.,* to sigh, breathe
взмах, sweep, movement
взреве́ть, взревёт, *p.,* to roar
взрыва́ть, *r., i.,* to blow up
взрыть, взрóет, *p.,* to plough up
взыва́ть, *r., i.,* to appeal
виадýк, viaduct
виде́ние, vision
визг, screech
виолонче́ль, violoncello
висе́ть, виси́т, *i.,* to hang
висóк, -ска́, temple

виться, вьётся, *i.*, to hover
вихрь, whirlwind
вишнёвый, cherry (adj.)
вкатить, *r.**, *p.*, to roll in
влага, moisture
влажный, damp
властелин, lord, master
влачить, *r.*, *p.*, to drag
влечься, влечётся, *i.*, to be drawn towards
вмешивать, *r.*, *i.*, to mingle, join
внезапный, sudden
вовек, always, eternally
водопад, waterfall
вожжи, reins
воз, cart
возвышенный, exalted
возмужать, *r.*, *p.*, to grow up
возникать, *r.*, *i.*, to arise
возносить, *r.**, *i.*, to lift up
возня, bustle
воин, warrior
вой, howling
вол, ox
волк, wolf
волнолом, breakwater
волшебный, magic
вонзать, *r.*, *i.*, to thrust
вонзаться, *r.*, *i.*, to pierce
воплотить, *r.*, *p.*, to embody
вопль, wail
вопросительный, interrogative
воробей, sparrow
ворожить, *r.*, *i.*, to cast a spell on
ворон, raven
ворона, crow
вороний, crow (adj.)
ворота, gates
ворох, pile
ворочаться, *r.*, *i.*, to turn
восковой, waxen

воскресить, *r.*, *p.*, to resurrect
воспевать, *r.*, *i.*, to celebrate
воспеть, воспоёт, *p.*, perf. <воспевать
воспитывать, *r.*, *i.*, to educate
воссиять, *r.*, *p.*, to shine
восторженный, enthusiastic
вошь, вши, louse
впалый, hollow
впервь, for the first time
впиваться, *r.*, *i.*, to pierce
вплотную, close
впотьмах, in the dark
впрямь, really
врождённый, innate
вселенский, universal
вскрыть, вскроет, *p.*, to cut open
всосать, всосёт, *p.*, to imbibe
всплеск, splash
всползать, *r.*, *i.*, to crawl upwards
вспугнуть, *r.*, *p.*, to frighten away
вспухнуть, *r.*, *p.*, to swell
вспыхнуть, *r.*, *p.*, to flash out, flush
вспышка, flash
втиснуть, *r.*, *p.*, to squeeze in
вторгнуться, *r.*, *p.*, to invade
вторить, *r.*, *p.*, to echo
второпях, hurriedly
вулкан, volcano
выдох, breath, exhalation
выдумать, *r.*, *p.*, to invent
выезд, departure, drive
выесть, выест, *p.*, to eat up
выжать, выжмет, *p.*, to squeeze out
выжить, выживет, *p.*, to survive
вызов, challenge
вылазка, sortie
вымысел, -са, fabrication, invention

вы́нести, вы́несет, *p.*, to endure
вы́нуть, *r.*, *p.*, to take out
вы́пивка, party
выпира́ть, *r.*, *i.*, to protrude
вы́плеснуть, *r.*, *p.*, to splash out
вы́пуклый, protuberant
вы́стрел, shot
вы́топтать, вы́топчет, *p.*, to trample (down)
выть, во́ет, *i.*, to wail
вы́холенный, well-cared for
вью́га, snowstorm

Г

га́лочий, jackdaw (adj.)
гам, hubbub, din
гармо́ника, accordion
ге́нциана, gentian
гиль, rubbish
гла́дить, *r.*, *i.*, to stroke
гладь, smoothness, harmony
глаша́тай, herald
гли́на, clay
гли́няный, clay, earthenware
глуха́рь, capercailzie
глуши́ть, *r.*, *i.*, to stifle
гнить, гниёт, *i.*, to rot
гнусь, vileness
го́гот, loud laughter
годовщи́на, anniversary
голу́бка, pigeon, dove
го́лубь, pigeon, dove
голубя́тня, dove-cote
голытьба́, the poor
го́нки, pl., race
гонча́р, potter
горба́тый, hump-backed
го́рбиться, *r.*, *i.*, to be arched
горева́ть, горю́ет, *i.*, to grieve

горе́ние, enthusiasm
го́речь, bitterness
горла́нить, *r.*, *i.*, to bawl
горла́стый, vociferous
го́рлышко, throat (dim.)
горо́х, pea
горсть, handful
горше́чник, potter
грай, cawing
грач, rook
гре́зиться, *r.*, *i.*, to dream
греме́ть, греми́т, *i.*, to thunder
грему́чая змея́, rattlesnake
гре́шность, sin
гриб, mushroom
гри́ва, mane
гроза́, storm
грози́ть, *r.*, *i.*, to threaten
гро́хнуться, *r.*, *p.*, to crash down
гро́хот, din
грохота́ть, грохо́чет, *i.*, to roar
гру́да, heap
груз, load
гру́зный, massive
гру́зчик, stevedore
гряда́, ridge
грядущий, approaching
гуде́ние, hooting
гуде́ть, гуди́т, *i.*, to drone
гудо́к, -дка́, hoot, hooting
гул, rumbling
гу́лкий, resonant

Д

датча́нин, Dane
двоя́кий, ambiguous
двули́кий, two-faced
двуро́гий, two-horned
дёготь, -гтя, tar

142

делить, r.*, i., to share
дерзкий, audacious, impertinent
десна, gum
детвора, children
дивинация, divination
дивный, marvellous
диво, marvel
дистанция, distance
дичь, game
дно, bottom
доблестный, heroic
добросовестный, honest
душ, shower
доказательство, evidence, proof
дол, valley
долбить, r., i., to gouge
долина, valley
дольше, longer
доля, fate, lot
доносчик, informer
доспехи, pl., armour
дотемна, until dark
дотла, to ashes
древесина, wood
древний, ancient
древность, antiquity
древоточец, -чца, woodworm
дрёма, drowsiness
дремать, дремлет, i., to doze
дремотный, drowsy, somnolent
дремучий, slumbering, dense (forest)
дробиться, r., i., to break
дрогнуть, r., p., to tremble
дрожь, trembling
дрозд, thrush
дротик, dart
дуб, oak
дубасить, r., i., to thrash
дубликат, duplicate
дубок, -бка, boat

дуга, arc
дунуть, r., p., to blow
духота, stuffiness
дымка, haze
дыня, melon
дырчатый, full of holes

Е

ёж, hedgehog
ель, fir-tree
естество, nature

Ж

жаждать, жаждет, i., to thirst for
жало, sting, bite
жандарм, gendarme
жара, heat
жасмин, jasmine
жёлчь, bile
жемчужина, pearl
жеребёнок, -нка, foal
жёрнов, mill-stone
жёртва, victim, sacrifice
жёсткий, wiry
жилищный, housing
жокей, jockey
жёлоб, gutter
жребий, lot, fate
жуткий, sinister
жуть, horror

З

забава, amusement
забираться, r., i., to climb up
забор, fence

забро́шенный, derelict, neglected
забурли́ть, r., p., to seethe
завести́, заведёт, p., to start, wind up
заве́тный, cherished, sacred
завеща́ть, r., i. & p., to bequeath
зави́довать, r., i., to envy
заволакивать, r., i., to cloud
заворкова́ть, r., p., to begin to coo
заворожи́ть, r., p., to bewitch
заги́кать, r., p., to whoop
заглуши́ть, r., p., to suppress
загора́ть, r., i., to tan oneself
зада́ром, for nothing
задво́рки, pl., backyard
задева́ть, r., i., to touch
задо́рный, provocative
задыха́ться, r., i., to choke
зажму́риться, r., p., to screw up one's eyes
зазвя́кать, r., p., to tinkle
зазнава́ться, зазнаётся, i., to give oneself airs, show off
за́йчик, sunbeam, patch of sunlight
закавка́зский, Transcaucasian
закали́ть, r., p., to temper
зака́т, sunset
закипа́ть, r., i., to boil, bubble
закрути́ть, r.*, p., to twist
за́лежь, deposit, bed
зали́в, bay
залихва́тский, rakish
заломи́ть, r.*, p., to bend back
замани́ть, r.*, p., to entice
замере́ть, замрёт, p., to become motionless, die away (sound)
замёрзнуть, r., p., to freeze
замечта́ться, r., p., to lose oneself in dreams
замкну́ть, r., p., to close, lock up

зано́за, splinter
заодно́, together with, at the same time
запаха́ть, запа́шет, p., to plough
запере́ть, запрёт, p., to lock up
запеча́тать, r., p., to seal
запечься, запечётся, p., to clot
записна́я кни́жка, notebook
заплеска́ться, заплёщется, p., to splash
запра́вский, true, real
запроки́нуть, r., p., to throw back (head)
запропа́сть, запропадёт, p., to get lost, disappear
запру́да, dam, pond
запряга́ться, r., i., to harness oneself
за́рево, glow
зарево́й, dawn (adj.)
заря́, dawn
заскору́злый, hardened
засоса́ть, засосёт, p., to swallow up
застегну́ть, r., p., to fasten, button up
застла́ться, засте́лется, p., to be covered
застре́ха, eave
застря́ть, застря́нет, p., to stick
затаи́ть, r., p., to hide
затаи́ться, r., p., to hide oneself
затверде́ть, r., p., to harden
затева́ть, r., i., to begin, undertake
зате́я, fancy
зати́шье, calm
затону́ть, r.*, p., to sink
затрави́ть, r.*, p., to persecute
заты́лок, -лка, back of the head
зачерпну́ть, r., p., to scoop up
за́яц, за́йца, hare

звено́, link
звери́ный, animal
зво́нкий, ringing
зво́нница, belfry
здоро́ваться, r., i., to greet
здорове́ть, r., i., to become strong
зева́ка, idler
зево́та, yawning
зе́лень, verdure
земляни́ка, wild strawberries
зия́ние, abyss
злове́щий, ominous
злосло́вие, scandal
змея́, snake
зной, intense heat
зола́, ashes
зонт, umbrella
зрачо́к, -чка́, pupil (of eye)
зреть, r., i., to ripen
зря́чий, seeing
зубр, bison
зубча́тый, toothed
зуд, itch

И

и́ва, willow
ивняко́вый, osier
игри́во, playfully, mockingly
игру́шечный, toy, tiny
изве́дать, r., p., to experience
известко́вый, lime
и́звесть, lime
извне́, from without
издо́хнуть, r., p., to die
измая́ть, изма́ет, p., to exhaust
изме́на, betrayal
изме́рить, r., p., to measure
изму́чить, r., p., to torture, exhaust

изне́жить, r., p., to pamper
изнеможе́ние, exhaustion
изнури́ть, r., p., to wear out
изо́гнутый, bent
изуми́ть, r., p., to amaze
изумру́д, emerald
изумру́дный, emerald
изъязви́ть, r., p., to wound, lacerate
изъясня́ться, r., i., to express oneself
ико́на, icon
искри́ться, r., i., to sparkle
искуса́ть, r., p., to bite
исполи́н, giant
испыта́ние, ordeal
исступлённый, frenzied
иссуша́ть, r., i., to dry up
исся́кнуть, r., p., to run dry, dry up
истерза́ть, r., p., to torment
и́стина, truth
истле́ть, r., p., to be reduced to ashes
исто́ма, langour
истука́н, statue
исхлеста́ть, исхле́щет, p., to flog
исцели́ть, r., p., to heal
ито́г, total
иуде́й, Israelite

К

каба́к, public house
кади́ть, r., i., to burn incense
калёный, red-hot
кали́на, guelder rose
каме́лия, camellia
камени́стый, stony
каменоло́мня, quarry

канáва, ditch
канарéйка, canary
канáт, cable
кáпать, *r*. & кáплет, *i*., to drip
капéлла, choir
кáпище, temple
капкáн, trap
караýл, guard
кáрлик, dwarf
карьéр, full gallop
кáска, helmet
кáсса, cash-desk
кáста, caste
катóк, -ткá, skating-rink
кáторга, penal servitude
кáторжный, adj. <кáторга
качнýться, *r*., *p*., to rock
каштáн, chestnut
каюта, cabin
квадрáтный, square
квартáл, block
керосúнка, oil-stove
кивóт, icon-frame
кипéние, boiling
кипéть, кипúт, *i*., 1) to boil; 2) to
  swarm
кипятóк, -ткá, boiling water
кипячёный, boiled
кистéнь, bludgeon
кисть, 1) hand; 2) tassel
кишéть, кишúт, *i*., to swarm
клáвиш, key
клáняться, *r*., *i*., to bow
клевáть, клюёт, *i*., to peck
клéить, *r*., *i*., to glue
клён, maple
клéтка, cage
клéщи, pincers
клик, cry
кликýшество, hysterics
клúчка, name

клок, pl. клóчья, shred, tuft
клокотáнье, bubbling
клубень, -бня, tuber
ключúца, collar-bone
клятва, vow
кóваный, forged
ковáрный, insidious
ковылять, *r*., *i*., to hobble
кожýра, rind
козá, goat
кóзий, goat (adj.)
колéнка, knee
колокóл, bell
колокóльный, bell (adj.)
колóться, кóлется, *i*., to prick
колхóз, collective farm
комарúный, gnat (adj.)
конвойр, escort
кóнница, cavalry
конокрáд, horse-thief
конýра, hovel, small room
кончúна, death
конькú, pl., skates
конюшня, stable
копéечный, worth a copeck
копошéние, swarming
коптúть, *r*., *i*., to smoke
корá, bark
корúнка, currants
кормúть, *r*.*, *i*., to feed
корóнка, crown
кóрпус, body
корявый, rough
косá, plait, tress
косноязычный, tongue-tied
костёр, -трá, bonfire
костыль, crutch
косóй, skew
косынка, headscarf
кочáн, head of cabbage
кочевáть, кочýет, *i*., to wander

ко́чка, hummock
кра́ешек, -шка, edge
крапи́ва, nettle
краса́, beauty
красноарме́ец, -е́йца, Red soldier
красноко́жий, red-skinned
красноле́сье, pine forest
красть, краде́т, i., to steal
креве́тка, shrimp
кре́йсер, cruiser
кри́нка, earthenware pot
кровожа́дный, bloodthirsty
кроха́, crumb
кро́хотный, diminutive
кру́жка, mug
круп, croup
крупа́, groats
крутизна́, steepness
круто́й, steep
кру́ча, steep slope
кувши́н, jug
кузне́ц, blacksmith
кузне́чик, grasshopper
ку́кситься, r., i., to sulk
куку́шка, cuckoo
кула́к, fist
куль, bale
ку́мушка, gossip
ку́па, group (of trees)
купа́ва, water-lily
купе́, sleeper
ку́пол, dome
куст, bush
куста́рник, bushes
ку́ча, heap
ку́чер, coachman

Л

лаба́зник, corn-chandler
ла́герь, camp

лад, harmony
ла́дан, incense
ладо́нь, palm
ла́па, paw
ларь, chest
ла́сковость, tenderness
ла́сточка, swallow
ла́ять, ла́ет, i., bark
лебеда́, goose-foot (plant)
ле́бедь, swan
легкоду́мный, frivolous
ледене́ть, r., i., to freeze
ледяно́й, icy
ле́звие, blade
лека́рство, medecine
леле́ять, леле́ет, i., to cherish
ле́пка, modelling
лесть, flattery
лжи́вый, lying
лиза́ть, ли́жет, i., to lick
лик, face
лило́вый, lilac
лимо́нный, lemon-coloured
ли́па, lime-tree
ли́ра, lyre
лиси́ца, fox
листопа́д, autumn
лите́йщик, smelter
лоб, лба, forehead
лов, catch, hunting
ло́гово, lair
ло́жа, box (theatre)
ло́кон, curl
ломи́ться, r.*, i., to force one's
 way
лопа́тка, shoulder-blade
лопу́х, burdock
лоску́т, pl. лоску́тья, shred
луг, meadow
лу́жа, puddle
лук, onion

лука́вство, archness
лы́ко, bast
льди́на, ice-floe, block of ice
льди́нка, see льди́на
лю́стра, chandelier
ля́зг, clank
ля́згать, r., i., to clank

М

мазь, ointment
мали́на, raspberries
мандари́н, mandarin orange
манто́, coat
мара́ть, r., i., to soil
ма́рля, gauze
Марс, Mars
маста́к, expert
мастери́ца, seamstress
мастерска́я, workshop
матерщи́на, obscene language
махи́на, bulk, mass
машини́ст, engineer
мгли́стый, hazy
мёд, honey
медве́жий, bear (adj.)
ме́длить, r., i., to linger
медь, brass
мелькну́ть, r., p., to flash
мере́щиться, r., i., to seem
мёрзлый, frozen
ме́рный, measured
мерца́ть, r., i., to glimmer
мета́ться, ме́чется, i., to rush
  about
мете́лица, see мете́ль
мете́ль, snow-storm
мех, fur
меч, sword
меща́нство, petty bourgeoisie

милова́ть, r., i., to show mercy
мимолётный, fleeting
млеть, r., i., to thrill, languish
мни́ться, r., i., to seem
моги́ла, grave
мо́кнуть, r., i., to become wet
мол, he says, they say etc.
молва́, rumour, fame
моле́ние, supplication
моли́ть, r.*, i., to implore
мольба́, entreaty
моргну́ть, r., p., to wink
морщи́нить, r., i., to wrinkle
морщи́нка, wrinkle
москви́ч, inhabitant of Moscow
мостова́я, road
мота́ть, r., i., to wind
мох, мха or мо́ха, moss
мохна́тый, hairy
мощёный, paved
мрак, darkness
мра́мор, marble
мра́чный, gloomy
му́ка, torment
мура́ш, ant
муть, mist, haze
муче́ние, torture
мыс, cape
мыча́ть, мычи́т, i., to low
мя́та, mint
мяу́кать, r., i., to miaow

Н

набальзами́ровать, r., p., to em-
  balm
набедоку́рить, r., p., to cause
  havoc
на́бок, on one side
набу́хнуть, r., p., to swell

навéки, for ever
навéт, slander
нагóрье, upland
нагрузи́ть, r. & r.*, p., to load
надгрóбие, tombstone
надмéнный, haughty
надыша́ть, надышит, p., to make the air warm with breathing
на́земь, on the ground
назлó, to spite, in spite
наизу́сть, by heart
накрени́ться, r., p., to heel over
на́крест, across, crosswise
намéренный, intentional
намóкнуть, r., p., to become wet
напáсть, disaster
напéв, tune
наперечёт, thoroughly
напóр, pressure
напослéдок, in the end
напрями́к, straight, point-blank
нарóчный, courier
нару́чни, pl., manacles
насквóзь, through
наслéдство, inheritance
на́сыпь, embankment
насы́титься, r., p., to be satiated
насы́то, to one's full
науда́чу, at random
наяву́, when awake
найривать, r., i., to play (instrument) energetically
небосвóд, firmament
небосклóн, sky
невéдомый, unknown
невзгóда, adversity
невзра́чный, plain
невня́тный, indistinct
невпопáд, out of place
нéдра, pl., womb, bowels
недý жный, disunited

незаслу́женный, undeserved
нейстовый, furious
некста́ти, irrelevant
нанарóком, inadvertently
необъя́тный, immense
неодоли́мый, irresistible
неóн, neon
неотдели́мый, inseperable
непогóда, foul weather
непрогля́дный, impenetrable
непроходи́мый, impenetrable
непутёвый, good-for-nothing
неразличи́мый, indistinguishable
нераствóрённый, undissolved
несра́вненный, unmatched
несравни́мый, incomparable
нестрóйный, disordered
нетрéзвый, drunk
неукроти́мый, indomitable
неумéло, clumsily
неуязви́мый, invulnerable
ни́ва, cornfield
низáть, ни́жет, i., to thread
ни́кнуть, r., i., to droop
ничкóм, face downwards
ни́ша, niche
ни́щенский, beggarly
новобра́нец, -нца, recruit
норá, burrow
нóров, habit
ночлéг, lodging for night
ны́нешний, present
ня́нька, nurse

O

обглода́ть, обглóжет, p., to gnaw
оберну́ться, r., p., to turn out, turn into
óбжиг, glazing

обивка, upholstery
обитель, abode
облик, look
обличение, exposure
облокотиться, r.* & r., p., to lean
  one's elbows on
обломок, -мка, fragment
обманный, fraudulent
обнажать, r., i., to uncover, bare
обожание, adoration
оболгать, оболжёт, p., to slander
обонять, r., i., to smell
оборка, frill
обоюдоострый, double-edged
образоваться, r., i. & p., to form
обрамить, r., p., to frame
обрушивать, r., i., to bring down
обрыв, precipice
обрызгать, r., p., to besprinkle
обрюзгнуть, r., p., to grow fat
обуть, обует, p., to shoe
обуять, r., p., to seize
обшлаг, cuff
объятие, embrace
обывательский, Philistine
овёс, овса, oats
овеять, овеет, p., to blow over
овраг, ravine
овчина, sheepskin
оглашать, r., i., to proclaim
оглашаться, r., i., to resound
оглобля, shaft
оглушать, r., i., to deafen
оглушить, r., p., perf. <оглу-
  шать
огненный, fiery
ограда, barrier
ограждать, r., i., to guard
одичалый, wild
однообразие, monotony
одряхнуть, r., p., to grow decrepit

одуванчик, dandelion
одурять, r., i., to stupefy
ожесточённый, bitter
ожесточиться, r., p., to become
  embittered
ожёг, burn
озвереть, r., p., to become bruta-
  lized
озноб, chill
озорство, mischief
окликать, r., i., to hail
око, pl. очи, eye
околица, outskirts
оконница, window-frame
окостенеть, r., p., to become stiff
окраина, suburbs
окровавить, r., p., to stain with
  blood
окунать, r., i., to dip
окурок, -рка, cigarette-end
олива, olive
олово, tin
опалить, r., p., to scorch
опередить, r., p., to outstrip
оперение, plumage
оплетать, r., i., to weave around
опомниться, r., p., to come to
  one's senses
опора, support
опочить, опочиет, p., to go to
  sleep
оправа, frame, setting
опресноки, pl., unleavened bread
опрокинуться, r., p., to overturn
опустошить, r., p., to devastate
опыт, experience
орать, орёт, i., to yell, shout
орешник, nut-tree
осадный, seige
осветить, r., p., to illuminate
освистать, освищет, p., to hiss

осироте́лый, orphaned
оскверни́ться, r., p., to be defiled
оско́лок, -лка, splinter
осле́пнуть, r., p., to go blind
ослу́шник, rebel
осмея́ть, осмеёт, p., to ridicule
осна́стка, rigging
осно́ва, base, basis
остекле́ть, r., p., to become glassy
отве́рженный, outcast
отвы́кнуть, r., p., to fall out of the
  habit of
оте́чь, отечёт, p., to swell
отко́с, slope
отлива́ть, r., i., to be shot with
  (colour)
отме́стка, revenge
отме́тинка, mark
отозва́ться, отзовётся, p., to answer
о́тпуск, leave
отте́нок, -нка, nuance
отцвета́ть, r., i., to fade
отча́яться, отча́ется, p., to des-
  pair
о́тчий, paternal
отыска́ться, оты́щется, p., to be
  found
ох, oh
оха́пка, armful
о́хать, r., i., to sigh, groan
охвати́ть, r.*, p., to envelop
очерта́ние, outline
о́чи, see о́ко
очуме́лый, mad, senseless
ошеломи́ть, r., p., to surprise

П

павли́н, peacock
павли́ний, peacock (adj.)

па́жить, pasture
пала́ч, executioner
па́мятный, memorable
пар, steam, vapour
пари́, bet
пари́ть, r., i., to soar
парни́к, hot-bed
парни́шка, lad
па́рус, sail
паути́нный, spider's web (adj.)
па́харь, ploughman
па́чкать, r., i., to soil
па́шня, field
певе́ц, -вца́, singer
пезе́тта, peseta
пе́на, foam
пе́ниться, r., i., to foam
пе́нный, foaming, foamy
пень, stump
перевя́зка, bandaging
перегляну́ться, r.*, p., to ex-
  change glances
переезд, level-crossing
переименова́ть, r., p., to rename
перекли́чка, roll-call
переплета́ться, r., i., to interlace
пересо́хнуть, r., p., to dry up
пересу́ды, pl., gossip
пере́ть, прёт, i., to press forward
пери́на, feather-bed
перипети́я, peripetia
перро́н, platform
перст, finger
пёс, dog
песе́ц, -сца́, polar fox
песо́чек, -чка, sand
пе́телька, button-hole
петли́стый, winding
пеще́ра, cave
пеще́рный, cave (adj.)
пии́т, poet

пила́, saw
пилигри́м, pilgrim
пичу́жка, bird
пла́вный, smooth
плаку́чий, weeping
пла́мень, flame
пласт, stratum
плёвый, not serious, trifling
пле́мя, tribe, race
плени́ть, r., p., to imprison
пле́сень, mould
плеска́ть, пле́щет, i., to splash
плетёный, wicker
плете́нь, -тня́, fence
плечи́стый, broad-shouldered
пли́совый, velveteen
плита́, flagstone
плотва́, roach
плоти́на, dam
плут, rogue
пляж, beach
побере́жье, sea-coast
побели́ть, r.* & r., p.; to white-
   wash
поброди́ть, r.*, p., to wander
повали́ться, r.*, p., to fall
пове́рх, above
пови́снуть, r., p., to hang
пово́зка, cart
погну́ться, r., p., to bend
пого́жий, fine, serene
поголо́вно, to a man
пого́ня, pursuit
пого́ст, graveyard
погреба́ть, r., i., to bury
погрему́шка, rattle
погро́мщик, one who takes part in
   pogrom
погружа́ть, r., i., to immerse
подва́л, cellar
подве́сить, r., p., to suspend

подви́жник, hero
подгиба́ть, r., i., to bend
подгоня́ть, r., i., to urge on
поджа́ть, подожмёт, p., to tuck up
подко́ва, horse-shoe
подмени́ть, r.*, p., to substitute
подозре́ние, suspicion
подо́шва, sole
подпо́рка, support
подсчита́ть, r., p., to count up
подча́с, sometimes
подчини́ться, r., p., to submit
поеди́нок, -нка, duel
пожа́рище, site of fire
позоло́та, gilding
поимённо, by name
пои́ть, r.*, & r., i., to give to drink
пока́тый, sloping
покло́н, bow
поклони́ться, r.*, p., to greet
поколе́ние, generation
поко́рный, humble
полково́дец, -дца, general
полно́чный, midnight
поло́вня, barn
полово́дье, high-water
по́лоз, pl. поло́зья, runner
по́лость, sledge rug
полоте́нце, towel
полу́шка, quarter-copeck piece
полыха́ть, r., i., to blaze
поля́на, glade
пома́рка, blot
пома́хивать, r., i., to whisk
помёт, dung
поп, priest
попере́к, across
поплаво́к, -вка́, float, floating
   restaurant
поплеска́ться, попле́щется, p.,
   to splash

пополам, half and half
попрошайка, beggar
пора, pore
поредеть, r., p., to become scarce
порог, threshold
порфира, purple
порхать, r., i., to fly about
порыв, burst
посвист, whistling
посвятить, r., p., to initiate
поселение, settlement
посёлок, -лка, village
посмертный, posthumous
постигнуть, r., p., to perceive
постройка, building
поступь, step, gait
постылый, hateful
пот, sweat
потёртый, shabby
потеть, r., i., to sweat, become damp
потомство, posterity, younger generation
потоп, flood
потрепать, потреплет, p., to pat
потрясение, shock
потушить, r.*, p., to extinguish
потчевать, потчует, p., to regale with
походка, gait
похоронить, r.*, p., to bury
почтение, respect
почуять, почует, p., to sense
пошарить, r., p., to rummage
пошлый, trivial, vulgar
пощада, mercy
прабабка, great-grandmother
правомочный, competent
праздник, holiday
превозмогать, r., i., to overcome
превысить, r., p., to exceed

преграда, barrier
предательство, treachery
предел, limit
предзимье, period before winter
предпоследний, penultimate
прелесть, charm
прель, mould
преобразить, r., p., to transform
преступление, crime
прибой, surf
привкус, aftertaste
пригвоздить, r., p., to nail (to)
пригорок, -рка, hill, foot-hill
придушить, r.*, p., to smother
приёмная, waiting-room
призрак, ghost, apparition
приклад, rifle-butt
прикорнуть, r., p., to take a nap
примёрзнуть, r., p., to freeze (to)
приникнуть, r., p., to press against
присесть, присядет, p., to sit down
присмиреть, r., p., to grow quiet
присниться, r., p., to dream
пристань, quay
приступ, assault
присяга, oath
притиснуть, r., p., to squeeze
притон, den
притча, parable
приучить, r.*, p., to train, accustom to
прихожая, hall
причёска, hair style
причесть, причтёт, p., to rank with
причуда, whim
приют, shelter
пробивать, r., i., to breach
пробка, cork
проветрить, r., p., to ventilate
провод, wire

провозвести́ть, r., p., to announce
прого́н, drive
прогора́ть, r., i., to burn down
прогреме́ть, прогреми́т, p., to thunder
прое́сть, прое́ст, p., to corrode
прожёктор, searchlight, headlight
прожжённый, inveterate
прозева́ть, r., p., to let slip
происхожде́ние, origin, birth
проки́нуться, r., p., to throw oneself
прокля́сть, проклянёт, p., to curse
проме́жду, between
промо́лвить, r., p., to say
промота́ть, r., p., to squander
прони́кнуть, r., p., to penetrate
прообраз, archetype
пропа́щий, hopeless
про́рва, breach
про́рубь, ice-hole
просве́чивать, r., i., to be translucent
про́сека, cutting
проскака́ть, проска́чет, p., to gallop by
просла́вить, r., p., to glorify
простра́нство, space
протере́ть, протрёт, p., to rub
проте́чь, протечёт, p., to proceed
противоре́чие, contradiction
протяже́ние, extent
прохла́дный, cool
процвести́, процветёт, p., to bloom
пруд, pond
прыщ, pimple
пря́дать, r., i., to spin
пря́жа, yarn
пря́ник, gingerbread
пря́тки, pl., hide-and-seek

пу́стошь, wasteland
пусты́ня, desert
пусты́рь, waste
путево́й, travelling
пу́тник, traveller
пухови́к, feather-bed
пу́шка, gun
пшени́чный, wheaten
пыл, ardour
пы́шный, pompous
пя́тка, heel

Р

равноду́шие, indifference
ра́довать, r., i., to make happy
ра́дужный, iridescent
разби́ть, разобьёт, p., to break
разби́ться, разобьётся, p., to break (intrans.)
разбо́йник, robber
разбо́йный, robber (adj.)
разва́лины, pl., ruins
развари́ть, r.*, p., to boil
развлека́ться, r., i., to amuse oneself
разгляде́ть, разгляди́т, p., to discern
разго́н, momentum
разгра́бить, r., p., to plunder
разгу́л, revelry
раздобы́ть, раздобу́ду, p., to get, find
раздо́р, dissension
разнообра́зие, diversity
разобщённость, dissociation
разомле́ть, r., p., to languish
разры́в, break
разрыва́ть, r., i., to tear apart
разу́ться, разу́ется, p., to take off one's shoes

154

рай, paradise
ра́йский, heavenly
ра́ковина, shell
ра́неный, wounded
рань, early
раскалённый, scorching
раска́т, slope, rolling
раскида́ть, r., p., to spread
раско́пки, pl., excavations
раско́сый, slanting
распа́риться, r., p., to steam (one-
　　self)
распаха́ть, распа́шет, p., to plough
распахну́ть, r., p., to throw open
распахну́ться, r., p., to fly open
распла́та, payment
расплы́ться, расплывётся, to
　　flow away
расплю́щить, r., p., to flatten
расправля́ть, r., i., to spread
　　(wings)
распу́тье, cross-roads
распя́ть, распнёт, p., to crucify
рассе́сться, расся́дется, p., to
　　take seats
расстреля́ть, r., p., to shoot
расступа́ться, r., i., to part
рассыпа́ть, r., i., to scatter, strew
раста́ять, раста́ет, p., to melt
растопи́ться, r.*, p., to melt
расхохота́ться, расхохо́чется, p.,
　　to burst out laughing
расцвести́, расцветёт, p., to bloom
расче́сть, разочтёт, p., to calcu-
　　late
расшеве́ливать, r., i., to move
рать, host
рвану́ться, r., p., to jerk, rush
ребро́, rib
ревнова́ть, r., i., to be jealous
резви́ться, r., i., to sport, gambol

резе́да, mignonette
рейс, trip
ремесло́, trade
ресни́ца, eyelash
решётка, grating
ре́ять, ре́ет, i., to soar, hover
ржа́вый, rusty
ржавь, rust
рифма́ч, rhymster
рог, horn
роди́мый, darling
родни́к, spring
рожь, ржи, rye
рой, swarm
роково́й, fatal
ро́кот, rumble, murmur
рома́шка, camomile
роса́, dew
роси́стый, dewy
ро́ща, grove
роя́ль, piano
ртуть, mercury
руба́ха, shirt
ру́гань, abuse
руда́, ore
рудоно́сный, ore-bearing
ружьё, gun
рулево́й, helmsman, driver
рука́в, sleeve
румя́на, pl., rouge
румя́нец, -нца, blush
румя́ный, ruddy
Русь, Russia
ру́чка, knob, handle
ры́бий, fish (adj.)
рыболо́в, fisherman
рыда́ть, r., i., to sob
ры́жий, red, reddish
рыси́стый, trotting
ры́скать, ры́щет & r., i., to roam
　　about

рысь, 1) trot; 2) lynx
рыться, роется, i., to dig
рыцарь, knight
рьяный, zealous
рядовой, ordinary
ряса, cassock

C

сажа, soot
сазан, sazan (a fresh-water fish)
салопчик, woman's coat
сани, sledge
санки, dim. < сани
сберечь, сбережёт, p., to protect
сваливаться, r., i., to fall down
свая, pile
свёртывать, r., i., to roll
свершить, r., p., to complete
свеситься, r., p., to hang
светило, star
светиться, r.★, i., to shine
свидетель, witness
свинец, -нца, lead
свинцовый, leaden
свирель, reed-pipe
свирепость, fierceness
свирепствовать, r., i., to rage
свист, whistle
свистеть, свистит & свищет, i., to
  whistle
свисток, -тка, whistle
своенравный, wilful
сгинуть, r., p., to vanish
сгнить, сгниёт, p., to rot
сгрудиться, r., p., to crowd
сгусток, -тка, clot
сдаваться, сдаётся, p., to sur-
  render
сдирать, r., i., to peel

седок, passenger
сейф, safe
селёдка, herring
сельчанин, peasant
сени, passage, hall
сено, hay
сеновал, hay-loft
сера, sulphur
сердцебиение, palpitation
серебриться, r., i., to become sil-
  very
серебро, silver
серьга, ear-ring
сетовать, r., i., to complain
сеть, net
сжать, сожнёт, p., to reap
сибарит, sybarite
сизый, bluish-grey
силок, -лка, snare
синева, blue, blueness
синь, blue, blueness
сирена, siren
сиреневый, lilac (adj.)
сирень, lilac
ситец, -тца, cotton
сиять, r., i., to shine
скалистый, rocky
скарб, belongings
скат, slope
скатиться, r.★, p., to roll, slide
  down
сквозной, transparent
скворешник, starling-house
скворешня, see скворешник
скептик, sceptic
скипидарный, turpentine
скисать, r., i., to go sour
скобяной товар, hardware
скомкаться, r., p., to crumple
скорбность, melancholy, grief
скрижаль, tables of the law

скрипа́ч, violinist
скрипи́чный, violin
ску́дный, meagre
скула́, cheek-bone
скули́ть, r., i., to whine
сла́вить, r., i., to glorify
славосло́вие, glorification
сле́пок, -пка, copy
сла́дость, sweetness
сле́сарь, metal-worker
сли́ва, plum
сли́вки, cream
слизь, slime
слобожа́нин, villager
слови́ть, r.*, p., to catch
слой, layer
слоня́ться, r., i., to loaf
смежи́ть, r., p., to close (eyes)
смека́лка, sharpness, cunning
смерка́ться, r., i., to grow dark
смесь, mixture
смола́, pitch
сму́та, sedition
смутья́н, seditionary, rebel
снаряжа́ть, r., i., to fit out
снова́ть, r., i., to scurry
снотво́рный, soporific
соблазни́тельный, seductive
собо́р, cathedral
сова́, owl
согре́ть, r., p., to heat
соединённость, unity
созве́здие, constellation
созву́чие, accord, harmony
со́кол, falcon
сокрове́ние, treasure
сокро́вище, treasure
солёный, salty
солнцеворо́т, solstice
соловей, nightingale
соловьи́ный, nightingale (adj.)

соло́ма, straw
сонати́на, sonatina
сор, rubbish
соразме́рность, proportionality,
  harmony
сосе́ц, -сца́, nipple
соскрести́, соскребёт, p., to scrape
  off
сослужи́ть, r.*, p., to render service (to)
сосна́, pine
сосно́вый, pine (adj.)
сочи́ться, r., i., to trickle
спа́йка, solder
спа́ять, r., p., to solder
спелена́ть, r., p., to swaddle
сполза́ть, r., i., to slip down
споткну́ться, r., p., to stumble
спу́тница, companion
сравни́ться, r., p., to compare oneself
срази́ть, r., p., to slay
сруб, frame, building
срыва́ться, r., i., to break away
ссо́ра, quarrel
ссуту́литься, r., p., to stoop
ссыла́ть, r., i., to exile
ста́вня, shutter
ста́до, herd
ста́йка, dim. <ста́я
стан, figure
стано́к, -нка́, machine-tool,
  lathe
ста́я, flock
ста́ять, ста́ет, p., to melt
ствол, trunk
сте́рва, carrion, filth
стере́ть, сотрёт, p., to efface
сти́снуть, r., p., to squeeze
стла́ться, сте́лется, i., to be
  spread

стóгны, pl., streets
стóйка, bar
стóйло, stall
стократ, a hundred times
столб, post
столичный, capital
столпиться, r., p., to crowd
страдáние, suffering
страж, guardian
стрелá, arrow
стрéлка, hand
стремглáв, headlong
стричь, стрижёт, i., to prune
стрóйный, shapely
стропило, rafter
строптивый, obstinate
струить, r., i., to pour, cause to flow
струнá, string
струя́, stream
студёный, very cold
студить, r.*, i., to cool
стýжа, hard frost
стук, noise
стыдиться, r., i., to be ashamed of
стыть, стынет, i., to grow cold
стяжáть, r., p., to gain
сугрóб, snowdrift
суетá, bustle
суждённый, predestined
сýмерки, pl., twilight
сурóвость, harshness, severity
суть, essence
сýхость, dryness
схватить, r.*, p., to seize
схóдка, meeting
сы́знова, anew
сы́рость, dampness
сы́щик, detective

T

табýн, herd (of horses)
табурéт, stool
таз, basin
таить, r., i., to hide
тáмбур, platform
тахтá, sofa
твердить, r., i., to reiterate
твердь, firmament
тёлка, heifer
телогрéйка, padded jacket
тéльце, body
темь, dark
тéмя, crown of head
теневóй, shady
тéрем, room, women's quarters
тёс, boards
тесáть, тéшет, i., to cut
тискаться, r., i., to squeeze
тихóня, demure person
тлен, corruption, decay
тленный, corruptible, perishable
ток, current
тóлща, thickness
тонýть, r.*, i., to sink
тóполь, poplar
топóр, axe
топóрщиться, r., i., to stick out
торжéственный, solemn, triumphant
торжествó, triumph
торс, torso
торф, peat
тосковáть, r., i., to pine for
точить, r.*, i., to sharpen, gnaw
травá, grass
тракт, highroad
трактир, tavern
трап, ladder
трáур, mourning

трещать, трещит, *i.*, to rattle
трещинка, crack
тризна, funeral feast
трижды, thrice
тугой, tight
тужить, *r.**, *i.*, to grieve
тупорылый, blunt-nosed
турбина, turbine
тучка, cloud
тщетно, vainly
тыкать, тычет, *i.*, to poke
тьма, 1) darkness; 2) multitude
тюбетейка, skull-cap
тюльпан, tulip
тяжкий, heavy

У

уберечь, убережёт, *p.*, to preserve
убогий, miserable
убор, attire
убранство, decoration, attire
увлечься, увлечётся, *p.*, to be
    carried away
увядание, fading
увядать, *r.*, *i.*, to fade
увянуть, *r.*, *p.*, perf. <увядать
угасить, *r.**, *i.*, to become extinct
угодник, saint
удаль, daring
удвоить, *r.*, *p.*, to double
узелок, -лка, bundle
уключина, rowlock
укол, prick
укор, reproach
украдкою, stealthily
укроп, fennel
улечься, уляжется, *p.*, to subside
умиряться, *r.*, *i.*, to calm down
умудрённый, experienced

ундервуд, typewriter
униженный, humble
упадок, -дка, decline, collapse
упираться, *r.*, *i.*, to resist, rest
    against
упустить, *r.**, *p.*, to let slip
ураган, hurricane
урожайный, harvest
ус, moustache
уста, mouth
уступать, *r.*, *i.*, to yield (to)
утешать, *r.*, *i.*, to comfort
утешить, *r.*, *p.*, perf. <утешать
утешный, consoling
утка, duck
уткнуть, *r.*, *p.*, to push in, bury in
утолить, *r.*, *p.*, perf. <утолять
утолять, *r.*, *i.*, to quench, slake
утроить, *r.*, *p.*, to triple
уцелеть, *r.*, *p.*, to survive
участь, fate
учтивый, civil
ущелье, ravine

Ф

фантаст, visionary
фарфор, china
фимиам, incense
фон, background
фонарь, lamp
форс, swagger
фортепьянный, piano
фура, waggon
фургон, van

Х

хам, cad
хвойный, coniferous

хвоя, pine-needle, branch of pine-tree
хижина, hut
хлестать, хлещет, *i.*, to lash, whip
хлынуть, *r.*, *p.*, to gush out
хмельной, intoxicated
хмурый, gloomy
холопство, servility
холст, canvas
хоронить, *r.**, *i.*, to bury
хохол, -хла, tuft of hair, top-knot
хохотать, хохочет, *i.*, to laugh loudly
хранительный, protective
хребет, -бта, spine
хрипеть, хрипит, *i.*, to wheeze
храм, temple
хрящ, gristle
хулиган, hooligan

Ц

царить, *r.*, *i.*, to reign
цветень, -тня, pollen
цветной, coloured
цедить, *r.**, *i.*, to strain
цепь, chain
цилиндр, top-hat
циферблат, dial
цыган, gypsy

Ч

чад, fumes
чаевые, pl., tip
чайка, seagull
чайная, tea-room
чан, tub
чародейство, magic

часовой, 1) clockwork (adj.); 2) sentry (noun)
частокол, paling
чаща, thicket
чеканить, *r.*, *i.*, to mint
чёлка, fringe
челнок, 1) boat; 2) shuttle
чепец, -пца, cap
червонец, -нца, gold piece (10 roubles)
червонный, scarlet
червь, worm
череда, sequence
черёмуха, cherry-tree
черёмуховый, cherry (adj.)
чересчур, too
черта, trait
чертог, hall
чёрточка, line
четвертушка, quire
четырежды, four times
чижик, finch
чиновник, official
чтить, чтит, *i.*, to honour
чувственный, sensual
чугун, cast-iron
чудо, miracle
чудесный, miraculous
чудиться, *r.*, *i.*, to seem
чудовищный, monstrous
чужбина, foreign land
чужедальний, distant and foreign
чутьё, instinct
чуть, scarcely
чуять, чует, *i.*, to feel

Ш

шайка, gang
шампунь, shampoo
шарада, charade

шарма́нка, barrel-organ
шатёр, -тра́, tent
ша́ткий, shaky
шахтёр, miner
швед, Swede
ше́лест, rustle
шёлк, silk
шёлковый, silken
шелуха́, peel, rind
шелуши́ться, r., i., to scale off
шепото́к, -тка́, whisper
шерсть, wool
шерша́вый, rough
шест, pole
шине́ль, overcoat
шипе́ние, hissing
шипо́вник, wild-rose
ши́риться, r., i., to widen
шлем, helmet
шлепо́к, -пка́, slap
шля́ться, r., i., to loaf about
шнур, cord
шпа́ла, sleeper
штани́ны, pl., trousers
штормово́й, stormy
штурм, assault
штык, bayonet

Щ

щебета́ть, щебе́чет, i., to twitter
щекота́ние, tickling

щёлкать, r., i., to click, trill
щёлкнуть, r., p., perf. <щёлкать
щети́на, bristle
щи, cabbage-soup
щит, shield
щу́ка, pike
щу́пальце, tentacle
щу́чий, pike (adj.)

Э

элеги́ческий, elegaic
электри́чка, electric train

Я

я́блоня, apple-tree
я́года, berry
яд, poison
ядови́тый, poisonous
язы́катый, tongue-like
язь, ide (fish)
я́корь, anchor
я́лик, boat
я́ма, pit
ямб, iambus
янта́рный, amber (adj.)
янта́рь, amber
я́щер, ant-eater

INDEX OF TITLES AND FIRST LINES

GEORGE ALLEN & UNWIN LTD
London: 40 Museum Street, W. C. 1

Auckland: 24 Wyndham Street
Bombay: 15 Graham Road, Ballard Estate, Bombay 1
Bridgetown: P. O. Box 222
Buenos Aires: Escritorio 454-459, Florida 165
Calcutta: 17 Chittaranjan Avenue, Calcutta 13
Cape Town: 68 Shortmarket Street
Hong Kong: 44 Mody Road, Kowloon
Ibadan: P. O. Box 62
Karachi: Karachi Chambers, McLeod Road
Madras: Mohan Mansions, 38c Mount Road, Madras 6
Mexico: Villalongin 32-10, Piso, Mexico 5, D. F.
Nairobi: P. O. Box 4536
New Delhi: 13-14 Asaf Ali Road, New Delhi 1
Philippines: 7-Waling-Waling Street, Roxas District, Quezon City
São Paulo: Caixa Postal 8675
Singapore: 36c Prinsep Street, Singapore 7
Sydney, N. S. W.: Bradbury House, 55 York Street
Tokyo: 10 Kanda-Ogawamachi, 3-Chome, Chiyoda-Ku
Toronto: 91 Wellington Street West, Toronto 1

PUSHKIN VERSE READER

Edited by I. P. Foote

Cr. 8vo.   18 s net

This *Pushkin Verse Reader* is the first of its scope to be
made available to the English-speaking student of
Russian and aims as providing a broad general
introduction to Pushkin's poetic work. The wide
range of poems fully represents the main aspects of
Pushkin's verse: together with such important
longer poems as 'The Bronze Horseman' and
'The Gipsies', there are examples of the *skazki* and
of the so-called 'little tragedies', as well as a large
selection of the lyric poems, reflecting all the many
moods and styles in which Pushkin wrote.

The texts are accompanied by an introduction,
vocabulary and notes on the individual poems,
special attention being paid to the difficulties
presented by the language of nineteenth-century
poetry.

The reader is specially designed to answer the needs
of the student who wishes to gain an introduction
to Russian poetry and of all those who are
interested in Russian literature and wish to have
a handy basic collection of Pushkin's verse.

*Allen and Unwin Russian Books, under the General
Editorship of Dr. Ronald Hingley.*

GEORGE ALLEN & UNWIN LTD